渡部昇一ブックス 17

アングロ・サクソン文明落穂集 ⑩

日々是好日

平成25年9月　書庫にて
Bullokar、Hart の合本を手に。
「世界最初の英文法書 市場に現る」（本文p.150）

「辞書の新版は進歩とは限らない」（本文p.29）

人文学系の勉強のためにブリタニカの版を１つ選ぶとすれば、11、12、13版のどれかがよいし、もう1つ加えるとすれば60年代に改訂された14版がよい。

ブリタニカ百科事典14版

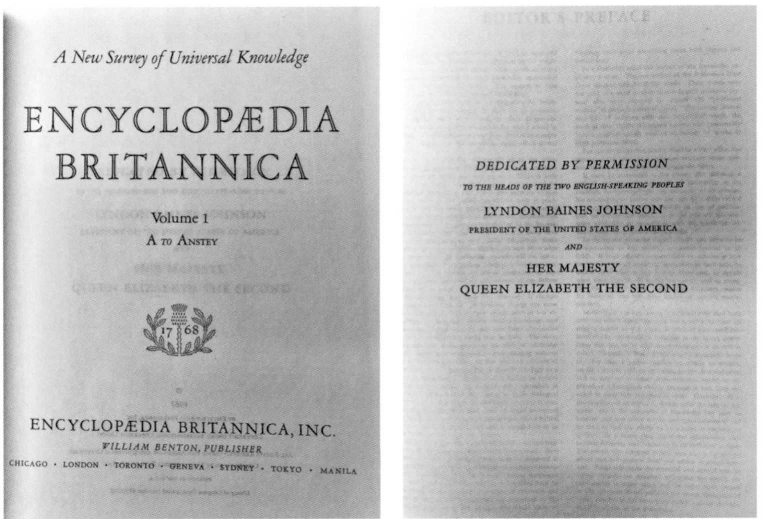

A New Survey of Universal Knowledge

ENCYCLOPÆDIA BRITANNICA

Volume 1
A TO ANSTEY

ENCYCLOPÆDIA BRITANNICA, INC.
WILLIAM BENTON, PUBLISHER
CHICAGO · LONDON · TORONTO · GENEVA · SYDNEY · TOKYO · MANILA

DEDICATED BY PERMISSION
TO THE HEADS OF THE TWO ENGLISH-SPEAKING PEOPLES
LYNDON BAINES JOHNSON
PRESIDENT OF THE UNITED STATES OF AMERICA
AND
HER MAJESTY
QUEEN ELIZABETH THE SECOND

1967年発行の版。　ジョンソン大統領とエリザベス２世への献辞がある。

ブリタニカの11版に補遺３巻を付けたのが12版（1922）で、その補遺を書き改めた新補遺３巻を11版に付けたものが13版である（1926）。この後の改訂では、人文系の記述が大幅に削除、削減されたため、11～13版は人文系の研究者にとっては新版より役立つことが多い。

ブリタニカ百科事典11版

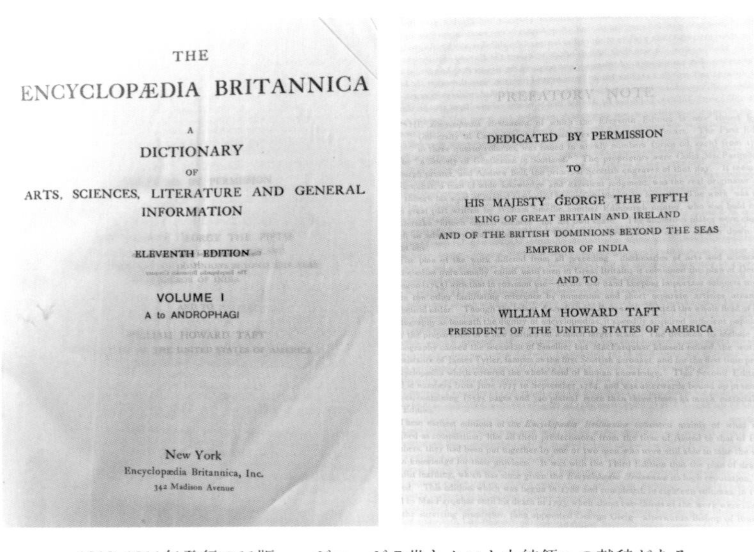

THE

ENCYCLOPÆDIA BRITANNICA

A

DICTIONARY

OF

ARTS, SCIENCES, LITERATURE AND GENERAL INFORMATION

ELEVENTH EDITION

VOLUME I

A to ANDROPHAGI

New York

Encyclopædia Britannica, Inc.

342 Madison Avenue

DEDICATED BY PERMISSION

TO

HIS MAJESTY GEORGE THE FIFTH

KING OF GREAT BRITAIN AND IRELAND

AND OF THE BRITISH DOMINIONS BEYOND THE SEAS

EMPEROR OF INDIA

AND TO

WILLIAM HOWARD TAFT

PRESIDENT OF THE UNITED STATES OF AMERICA

1910-1911年発行の11版。　ジョージ５世とタフト大統領への献辞がある。

「*OED*を私は２セット持っている。１つは昔の版に補遺が４巻足されたものである。もう１つはこの補遺を中に取り込んだ新版である。普通は新版をひく。しかしある単語が何時*OED*に採録されるようになったかを見るには旧版と補遺が必要である」(「辞書の新版は進歩とは限らない」p.30より)

The Oxford English Dictionary 旧版

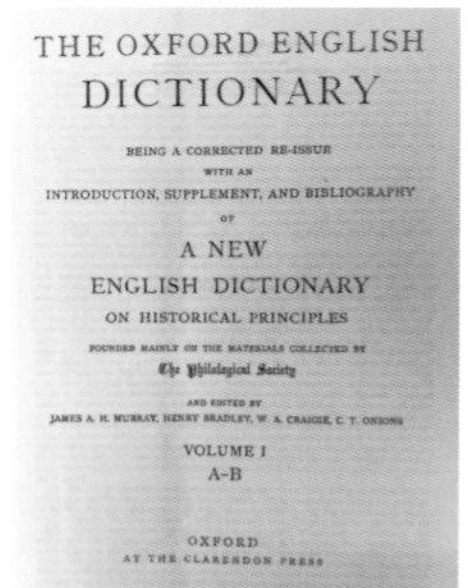

THE OXFORD ENGLISH
DICTIONARY

BEING A CORRECTED RE-ISSUE
WITH AN
INTRODUCTION, SUPPLEMENT, AND BIBLIOGRAPHY
OF

A NEW
ENGLISH DICTIONARY
ON HISTORICAL PRINCIPLES

FOUNDED MAINLY ON THE MATERIALS COLLECTED BY
The Philological Society

AND EDITED BY
JAMES A. H. MURRAY, HENRY BRADLEY, W. A. CRAIGIE, C. T. ONIONS

VOLUME I
A-B

OXFORD
AT THE CLARENDON PRESS

旧版1巻の内表紙

旧版への補遺4巻

The Oxford English Dictionary 1989年発行の２版

「アメリカと古書の話」（本文p.128）

「公私さまざまのlibraryを見せてもらったが、図書館の閲覧室に備えられてあるのは、どこでもウェブスターの第二版であったのは印象深い」（p.129より）

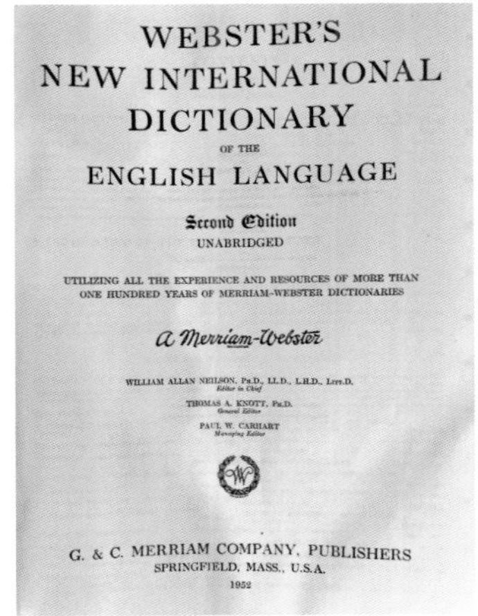

WEBSTER'S
NEW INTERNATIONAL
DICTIONARY
OF THE
ENGLISH LANGUAGE

Second Edition
UNABRIDGED

UTILIZING ALL THE EXPERIENCE AND RESOURCES OF MORE THAN
ONE HUNDRED YEARS OF MERRIAM-WEBSTER DICTIONARIES

A Merriam-Webster

WILLIAM ALLAN NEILSON, Ph.D., LL.D., L.H.D., Litt.D.
Editor in Chief
THOMAS A. KNOTT, Ph.D.
General Editor
PAUL W. CARHART
Managing Editor

G. & C. MERRIAM COMPANY, PUBLISHERS
SPRINGFIELD, MASS., U.S.A.
1952

Webster's New International Dictionary, Second Editionの表紙と内表紙

辞書や百科事典は、改訂をするたびに新しい語（見出し語）や情報を入れなくてはならないため、新しい版では古いものが削られる。
しかし、人文学徒にはその「古いもの」が必要なこともある。アメリカ議会図書館の閲覧室にはウェブスターの第２版と第３版の両方が置かれているのは象徴的である。

「世界最初の英文法書 市場に現る」（本文p.150）

イギリスで最初に出版されたWilliam Bullokarの英文法書の冒頭にある序文（William Bullokar to the Reader）。51連の詩行からなり、最初の方には道徳的な忠告や自叙伝的な事項が述べられているが、後半は英語や英文法に対するBullokarの所見が書かれている。（cf. 渡部昇一『英文法史』研究社1965年）

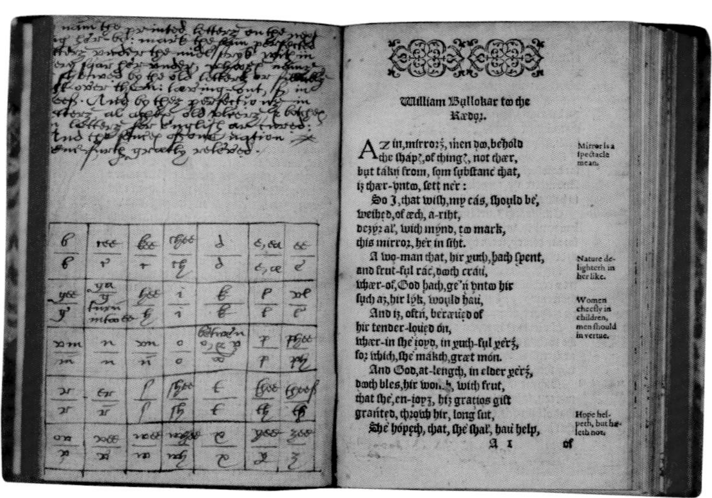

William Bullokar to the Ræder.

Az in, mirroz, men do, behold
the shaps, of things, not thær,
but takn from, som substanc that,
iz thær-unto, sett ner:
So I, that wish, my cás, should be,
weihed, of æch, a-riht,
dezýr al, with mýnd, to mark,
this mirroz, her in siht.
A wo-man that, hir yuth, hath spent,
and frut-ful rác, doth crau,
whær-of, God hath, ge'n unto hir
such az, hir lýk, would hau,
And iz, oftn, beræued of
hir tender-loued ón,
whær-in she ioyd, in yuth-ful yerz,
for which, she makth, græt món.
And God, at-length, in elder yerz,
doth bles, hir wo[m]b, with frut,
that she, en-ioyz, hiz gratios gift
granted, throuh hir, long sut,
She hópeth, that, she shal, hau help,

A 1 of

Mirror is a spectacle mean.

Nature delighteth in her like.

Women cheefly in children, men should in vertue.

Hope helpeth, but healeth not.

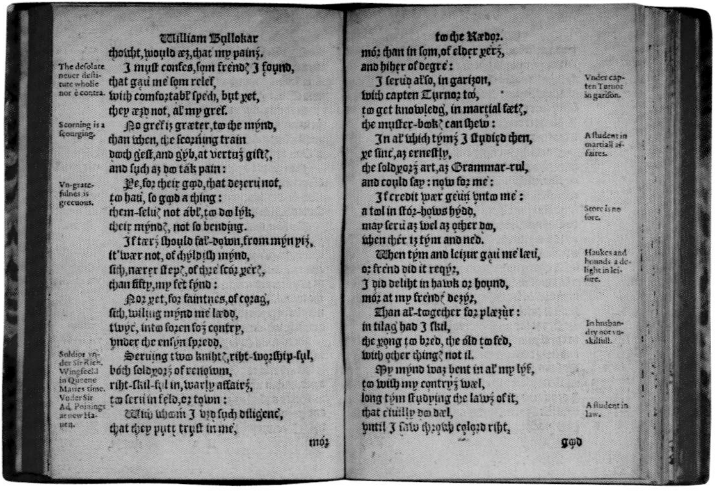

William Bullokar

thouht, would æz, that my painz.
I must confes, som frends I found,
that gaue me som relef,
with comfortabl spech, but yet,
they æzd not, al my gref.
No gref iz græter, to the mýnd,
than when, the scorning train
doth gest, and gýb, at vertuz gifts,
and such az do ták pain:
Ye, for their good, that dezeru not,
to hau, so good a thing:
them-selus not ábl, to do lýk,
their mýnds, not so bending.
If tærz should fal-down, from mýn yiz,
it'wær not, of chýldish mýnd,
sith, nærer step, of thre scór yerz,
than fifty, my fet fýnd:
Nor yet, for faintnes, of corag,
sich, wiling mýnd me lædd,
twýc, into forren for contry,
under the ensyn spredd,
Seruing two knihts, riht-worship-ful,
bóth soldyorz of renown,
riht-skil-ful in, warly affairz,
to serui in feld, or town:
With whom I uzd such diligenc,
that they putt trust in me,

mór

The desolate neuer destitute wholie nor è contra.

Scorning is a scourging.

Vn-gratefulnes is greeuous.

Soldior vnder Sir Rich. Wingfeeld in Queene Maries time. Vnder Sir Ad. Poinings at new Hauen.

to the Ræder.

mór than in som, of elder yerz,
and hiher of degre:
I serud al'so, in garizon,
with capten Turnor to,
to get knowledg, in martial fæts,
the muster-books can shew:
In al which týmz I studied then,
ye sinc, az ernestly,
the soldyorz art, az Grammar-rul,
and could say: now for me:
If credit wær geuin unto me:
a tool in stór-hows hýdd,
may serui az wel az other do,
when thér iz týme and ned.
When týme and leizur gaui me læui,
or frend did it requýr,
I did deliht in hawk or hound,
mór at my frends dezýr,
Than al-together for plæzur:
in tilag had I skil,
the yong to bred, the óld to fed,
with other things not il.
My mýnd waz bent in al my lýf,
to wish my contryz wæl,
long týme studying the lawz of it,
that ciuilly do dæl,
until I saw through colord riht,

good

Vnder capten Turnor in garison.

A student in martiall affaires.

Store is no sore.

Haukes and hounds a delight in leisure.

In husbandry not vnskilfull.

A student in law.

このWilliam Bullokar's Pamphlet for Grammar（コロン記号以下はずっと副題）は*Bref Grammar for English*の宣伝広告だという説と、こちらが正しい書名で*Bref Grammar...* は欄外見出しだとする説がある。これについて渡部先生は前者の説を支持されている。（cf. 渡部昇一『英文法を知ってますか』文春新書 2003年）

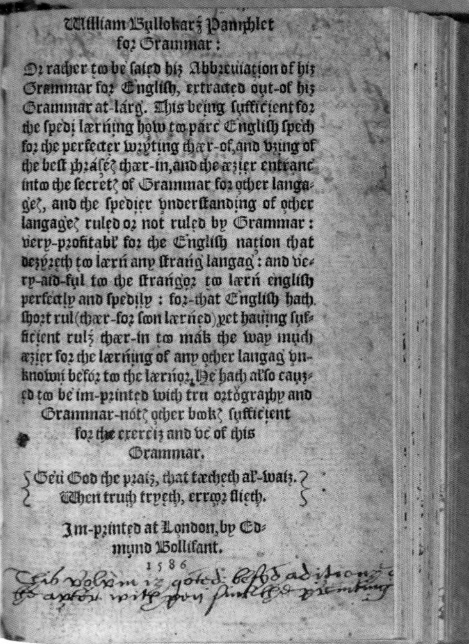

William Bullokarz Pamphlet
for Grammar:

Or racher too be ſaied hiz Abbreuiation of hiz Grammar for Engliſh, extracted out-of hiz Grammar at-larg. This being ſufficient for the ſpedi lærning how too parc Engliſh ſpech for the perfecter wryting thær-of, and vzing of the beſt phraſez thær-in, and the æzier entranc intoo the ſecretz of Grammar for other langagez, and the ſpedier underſtanding of other langagez ruled or not ruled by Grammar: very-profitabl for the Engliſh nation that dezyreth too lærn any ſtrang langag: and very-aid-ful too the ſtrangor too lærn engliſh perfectly and ſpedily: for-that Engliſh hath ſhort rul (thær-for ſoon lærned) yet hauing ſufficient rulz thær-in too mak the way much æzier for the lærning of any other langag unknowni befor too the lærnor. He hath alſo cauzed too be im-printed with tru ortography and Grammar-notz other bookz ſufficient for the exerciz and uc of this Grammar.

Geu God the praiz, that tæcheth al-waiz.
When truth tryeth, error flieth.

Im-printed at London, by Edmund Bolliſant.

1586

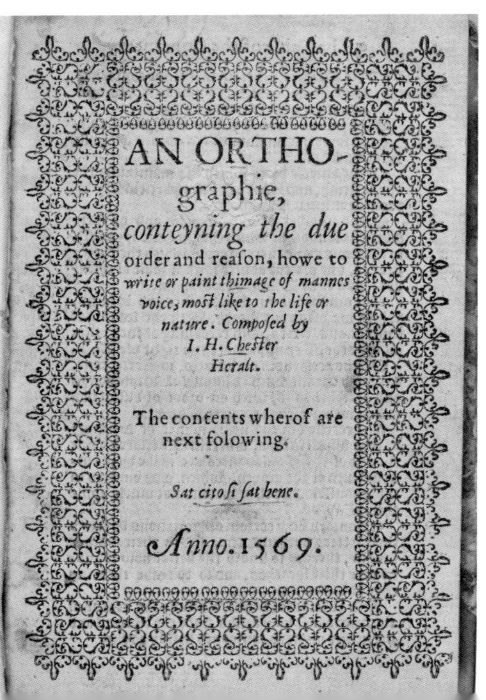

AN ORTHOgraphie,
conteyning the due order and reaſon, howe to write or paint thimage of mannes voice, moſt like to the life or nature. Compoſed by I. H. Cheſter Heralt.

The contents wherof are next folowing.

Sat cito ſi ſat bene.

Anno. 1569.

渡部先生が入手されたBullokarの英文法書は、*Lingua Belgicae Idea Grammatica* ... とJohn Hartの*An Orthographie* ... との合本であった。いずれも稀覯書であるが、綴り字改革者Hartの正書法についての本は先生も若いころに研究されており（cf. 渡部昇一『英語学史』大修館1975年）、特別な思い入れがあったのだろう。

エディンバラからの帰途、ロンドンの友人宅で両家族と共に。（関連：p.80）

Anglo-Saxon文明落穂集 ⑩

辞書の新版は進歩とは限らない

渡部昇一

広瀬書院

渡部昇一ブックス 17

アングロ・サクソン文明落穂集 ⑩

辞書の新版は進歩とは限らない

●目次●

ジャケット・扉題字／渡部昇一 書　　　校閲／江藤裕之

本書収録の作品は、大修館書店発行の月刊『英語教育』に2004（平成16）年10月号から2008（平成20）年11月号にかけて連載されたものです。

注　本書中〔　〕を用いて〔今年〕〔最近〕となっているところは、執筆当時の「今年」「最近」を示しています。他もこれに準じます。また、文中に登場する人物の肩書は、一部を除き原則として執筆当時のままとしています。

〈略年表〉著者が本書収録作品を執筆している時期の出来事

2004（平成16年）『英語教育』10月号執筆時、著者74歳

10月　イチロー、大リーグ年間最多安打記録を84年ぶりに更新（最終262本）。

2005（平成17年）

３月　16日島根県議会「竹島の日」条例可決。

４月　JR 福知山線脱線事故。死者107名。

５月　中・韓両国の靖国神社参拝反対に、小泉首相、「他国が干渉すべきでない」と表明。（9/30 大阪高裁、小泉首相靖国神社参拝違憲判決。10/17 小泉首相、靖国神社参拝）

８月　郵政民営化関連法案、参議院で否決。首相、衆議院を解散。

９月　北朝鮮、核放棄を確約。６か国協議、初の共同声明。

2006（平成18年）

２月　人口動態統計速報値発表、初の自然減。

９月　秋篠宮家に悠仁（ひさひと）さま御誕生。

９月　安倍晋三内閣発足。初の戦後生まれの首相。

10月　北朝鮮、地下核実験実施。

12月　改正教育基本法、防衛省昇格法成立。

2007（平成19年）

５月　（14日）国民投票法成立。（18日）公布。（2010. 5月）施行。憲法改正手続きの法的環境整備。

９月　安倍首相、辞任表明。福田康夫、第91代首相に就任。

10月　郵政民営化スタート。

2008（平成20年）

３月　円高で12年ぶりに１ドル100円を突破。

９月　福田首相、辞意を表明。麻生太郎内閣発足。

９月　リーマン・ブラザースが経営破綻。世界金融危機の発端。

10月　田母神俊雄航空幕僚長を「政府見解と異なる」意見を主張したとして更迭。

11月　米大統領選、バラク・オバマが当選。

381~382. 言語学と英語学

意味を扱えない言語学は無意味だ——構造言語学では山崎貞の受験参考書の英文は解釈できまい。

西原克成先生（元東大医学部講師）という実験進化学の世界的権威がおられる。またこの方は大学病院で治すことのできなかった難病患者の多くを回復させてきている卓越した医師でもある。私がこの先生の著述に惹かれるのは、その発想が人間の、また哺乳動物に関する進化論にもとづいているためである。この西原先生の主張の１つに、大腸菌のような小さい生きものを相手にして実験し、その成果がいかに正しくても、哺乳類の人間には関係ない、という指摘である。

その理由の１つに重力がある。たとえば哺乳類は地球の重力（G）が５～７倍になれば１日も生きていることができない。しかし単細胞の生物はGが１万倍になっても、10万倍になっても生きていることができる。また分子生物学の世界は水の分子が分子振動（ブラウン運動）で動くほどの微小の世界で、重力の働きに基づく力学の作用が及ばない、つまりニュートン力学の作用する圏外にあるのでヒトをはじめとする脊椎動物のような多細胞の高等生命体の医学には、あまり役に立たないのだそうである。病気を治さなければならない医者が、治療に関係のない分子生物学ばかりやって、患者を丁寧に診察し、問診すればすぐ治る病気にも、対症療法としてステロイド剤など投与して難病にしてしまうのが現状だと西原先生は具体例をあげつつ指摘しておられる。

このことから連想したのは言語学のことである。〔半世紀〕ほど前に大学に就職してからの体験上、頭から離れなくなった結論みたいなものがいくつかある。その1つは英会話修得法である。高校ぐらいの時に、ホーム・ステイしながら英・米の高校に通ったという経験が一番有効であるらしい。学部でもよい。早ければ早いほどよいが、基礎的文法をマスターしておくと到達するレベルがうんと高くなる。その他の英会話の勉強法は、それができない人の次善の方法だ、ということである。もう1つは近代言語学は英語を読むにも書くにも役に立たない、ということである。私はドイツ留学中にP. Hartmann先生——研究社『英語学人名辞典』に70行もの紹介がある——のゼミに出、レポートを書き、そのおかげで一般・比較言語学教室から月給をもらっていた。プラトンからフンボルトやソシュールやサピアなどなど、先生の下で学んだ言語学はまことに有益で面白かった。しかし私の本当の関心は「難しい本を正しく読むこと」と、英語やドイツ語で論文を書くことだったから、主メンターは古英語のシュナイダー先生だった。シュナイダー先生は古文解読の専門家で、一般言語学のことを sprachliche（シュプラッハリッヘ） Spielerei（シュピーラライ）（私の耳にそう聞こえただけで辞書にはない——先生の著書には辞書にない造語が少なくない）と言っておられた。「言葉いじり」とか「言葉遊び」というようなニュアンスに聞こえた。

一般言語学が日本の英語学者の間でも強く意識されたはじまりの１つは中島文雄先生の『意味論』であったと思うが、マルティの意味論で英語力が増すわけはない。20世紀になって構造言語学、ソシュールやブルームフィールド、そしてチョムスキーなどなど、すぐれた言語学が続々と生じて、英語学の人たちは忙しかったが、英文学の作品を正確に読んだり鑑賞したり、英語を上手に書けたりするためには、努力に比して効果はなかったと言ってよいのではないだろうか。それは哺乳動物の理解に、重力と関係のない単細胞生物に関する知識を使うようなものだからである。そして英語学と英文学の距離が遠くなってきているような気がしてならない。齋藤勇先生や福原麟太郎先生の戦前の英詩の注釈を読むと、英語学の成果に目くばりがあると思う。「細江逸記先生のシェイクスピア注釈はいいですね」と感心していたのは同僚の安西徹雄氏だった。しかし今は…。（※　2004.10）

(2)

現代の言語学と英語学の関係はいつも私の頭から離れない問題だった。そんなところにエルゼビアから出る言語学事典のいくつかの項目を担当するようにとジョージタウン大学のヤンコフスキー教授から依頼があった。彼とは故シュナイダー教授（Münster）の同門の弟子ということになる。彼が提示してきた項目の中にはマルティ（Anton Marty, 1847-1914）があったので、〔今年〕の夏は中島文雄『意味論』（研究社、1939）や小林智賀平『マルティの言語学』（興文社、1939）を読み返すことになり、感慨無量なるものがあった。この２人の先生の講筵に列する機会があったことは、本当に有難いことだった。昭和10年代の日本の英語英文学界は——当時の学生の目から見ると——市河三喜、齋藤勇（東大）と岡倉由三郎、福原麟太郎（東京高師）などの碩学を擁する２つの学校が最先端にあるように思われた。そして中島先生は東大系の、小林先生は高師系の英語学の若き俊秀という評判だった。そしてお２人とも昭和10年代に精魂をこめてマルティを研究されているのだ。昭和20年代のはじめに大学に入った私もマルティを理解しなければ英語学の専攻者にはなれないと思ったのであった。そして一所懸命に両先生のマルティを勉強した。

今そのことを振り返ってみると、私の英語学の知識には何の役にも立たなかったことがわかる。ただ個人的にはマルティのおかげで非常な恩恵を受けた。というのはハルトマン教授が、私のマルティに対する理解が深く正しいことに驚かれて——中島・小林両先生のおかげである——給料のあるポストをくださったからである。先生のゼミには後に言語学の教授になった人もいるが、マルティの名前を知っていた者はいなかった。

昭和10年代（1930年代後半）の日本の英語学界の若手を代表する感じであった中島・小林両先生が「意味論」に精力を注いでいたことは注目に値する。ところが戦後の英語学界で構造言語学が流行すると、言語学では「意味」が軽視あるいは無視されてくる。私には難しい英語を正しく理解して読みたいという素朴な要求が強かったから、「意味を扱えない言語学は無意味だ」などと生意気な批判をしていた。構造言語学では山崎貞の受験参考書に出てくるような英文は１つも解釈できないだろうと思われたからである。

ソシュールの言語学も魅力あるものであった。彼自身が言語の構造をチェスにたとえているように、ある言語の中の相関関係の中での意味であり、われわれが難しい文章の意味を考える時の意味ではない。その言語学はよく言えば自律的システムの構築であるが、甚しく自閉的であるとも言える。彼は語源学を言語学の正当な分野として認めないと、かの有名な『講義』の中では言っているが、晩年の彼はスイスの地名研究をやっていたという。これこそ語源研究そのものではないか。チョムスキーも統語論に主力を注いだ。これは自律的な科学になる。しかし「意味」はその点では科学にならない。簡単に言えばチョムスキーでは山崎貞の受験参考書の英文には歯が立たない、ということである。

中島・小林両先生の頃――マルティやブレンターノ――は「意味」を科学的に扱おうとした。戦後の主流の新言語学は、それぞれ厳密科学を目ざして意味を軽視した。「内容に関係のある言語学（inhaltbezogene（インハルトベツォーゲネ） Sprachwissenschaft（シュプラッハヴィッセンシャフト））」というのもドイツの学者に唱えられたが、日本ではあまり注目されていないようだ。この点、認知言語学は、言語を自律的な閉ざされたシステムではなく、オープン・システムとして見る。このあたりを明解に説明した宮脇正孝『認知言語学の“新しさ”――“人間全体”を包む言語学――』（*Asterisk*, vol. XⅢ, No.1, pp.31-53）は大いに参考になる。（※　2004.11）

383～384. 誤訳論争が作家を生んだ

佐々木邦は自分にはマーク・トゥエーンを読めることを発見して志を立て英文学者になり、ユーモア作家になった。

日本でたった一人のユーモア作家と言うべき佐々木邦が、ユーモア文学に目を開いたのはマーク・トゥエーンを読んだからである。佐々木はそのことを自伝的文章の中に書いているが、そのきっかけになったのは山縣五十雄と原抱一庵との誤訳論争を新聞で読んだからだという。このことを私は佐々木の名随筆集『豊分居雑筆』（春陽堂、昭和16年、2＋348pp.）に収められている「国際マーク・トゥエーン協会」（同書 pp.48-53）で読んで知った。後に喜安璡太郎が『英語青年』の昭和22年（1947年）の5月号に詳しく紹介していることを知った（福原麟太郎編『湖畔通信・鵠沼通信』研究社、1972, pp.30-32）。誤訳論争から日本のユーモア小説の第一人者が生まれた話だから、その論争相手だった山縣・原の両氏の論争の大略を紹介してみたい。

当時翻訳家として有名であった原抱一庵が明治36年（1903年）４月６日付の『東京朝日新聞』にマーク・ト

ゥエーンの *The Killing of Julius Caesar "Localized"* を翻訳した。この時、佐々木邦は20歳で慶應の理財科予科に通っており、無暗に英語が好きな青年だった。彼は抱一庵のこの訳によってマーク・トゥエーンの作品に初めて接したのである。この時、抱一庵は往復葉書を出して諸家の批評を求めた。抱一庵には妙な癖があって、自分の翻訳をほめてくれる人の名前を並べたてたがったのである。抱一庵がリットン卿原作の『ユウジン・アラム』を単行本として『聖人歟(か)盗人歟(か)』の表題で今古堂から出した時、何と当時の有名な文壇人、先輩、友人たち47人の序文を巻頭に並べた。中には徳富蘇峰、森鷗外、泉鏡花、尾崎咢堂、幸徳秋水、尾崎紅葉なども入っている。明治30年代の有名人のオン・パレードである。それで「聖人か盗人か」をもじって「序文か本文か」と冷やかす人も出たくらいであった。しかし世間の注目を浴びたことは確かで、この翻訳は芝居にもなり春木座で上演された。

これに気をよくした抱一庵は、「シーザー殺害」の翻訳でも、諸大家、有名人の「ほめ言葉」をもらって、単行本にする時に序文につけたかったのであろう。この往復葉書は山縣五十雄（号は螽湖(しゅうこ)）にもとどいた。山縣は帝大の英文科を中退してから『萬朝報』の英文欄の editor になった人で、学生の頃から英文学の天才と言われ、かの井上十吉（一高教授だった）をも驚かせた。井上はイギリスに留学しラグビー校に10年以上もいた人である。山縣は萬朝報社で同僚だった抱一庵のため、『聖人歟盗人歟』の時は序文を寄せたのであるが、その時の諸家の書いた序文が、おざなりの提灯持ちだったので多少不快に思っていた。そこにまた依頼が来たので、断るのも悪いと思って書いたが、正直な感想をのべた。その趣旨は次のようなものだった。

「マーク・トゥエーンがこの文章を書いたのは、おそらくシーザー暗殺当時のローマに今のアメリカのような新聞があったら、この大惨事をどう報道したであろうか、と想像してみての話だと思う。自分はまだ原文を読んでいないが、アメリカの新聞風にセンセーショナルな文字を沢山使ってあると思う。抱一庵氏の訳文は例によってすこぶる謹厳荘重であるが、原文はむしろ軽妙でユーモアを含むところが多いと思う。」

過去の大事件を今の新聞記者が書いたらどうなるか、という実験は朝日新聞社の大記者であった杉村楚人冠もやっている。赤穂浪士の吉良討入を社会部デスクが書いたらどうなるか、として「本所から」(『最近新聞学』付録) を書いたが、ユーモラスである。山縣の批判は当たっていた。しかし、抱一庵は反撃に出て自ら墓穴を掘り、ユーモア作家佐々木邦を生んだ。(※　2004.12)

(2)

山縣五十雄の原抱一庵訳『シーザー暗殺』(マーク・トゥエーン原作)に対する批評は明治36年(1903年)4月20日の『朝日新聞』に載った。これに対して抱一庵は次のような主旨のコメントをつけた。

「トゥエーンの本文にはセンセーショナルな文字も多く見当らず、また見落したようなユーモアも沢山はない。論より証拠をお目にかけよう。〔書出しより約一ページ分の原文と訳文の併記。〕御覧の通り、語句、措辞、結構すべて原文に従い、ほとんど逐語訳である。そして日本語や漢字の格調も原文に合わせたのである。自分は大いにこのために苦労し、この訳も6回も稿を改めた。トゥエーンのものを沢山読み、その文章を訳しもしたが、トゥエーンは文章もあまり上手でなく、滑稽もあまり上手でなく、覇気一点張りだ。」

こんなことから何度かやりとりが続いた。山縣も原文を取り寄せて読んでみたところ、はじめに推察した通り、アメリカの新聞流のセンセーショナルな記事に仕立てたもの――従って自然にユーモラスになることは杉村楚人冠の赤穂義士討入りの記事と同じこと――であることを知ったと言い、更に抱一庵の訳文にも立ち入って検討した。それによると抱一庵は逐語訳と言っているのに、ところどころ数句脱落したり、ここかしこに甚しい誤訳も見当るという。そして山縣は甚しい誤訳を10個あげた。

その一つが次の一文である。

“... great Caesar stood with his back against the statue like a lion at bay.”

この箇所は、抱一庵訳では次のようになっている。

「該撒(シーザー)は湾頭に踞する獅子の如く、依然としてポンペイ像下に髪逆立てて起てり。」

この部分は、佐々木邦も晩年まで覚えてその随筆の中で言及している。ここで抱一庵が bay を「湾、入江」の意味に取ってしまったのであった。もちろんここの bay は「猟犬が獲物を追う時のほえ声」から、「〔猟犬に獲物が〕追い詰められた状態、窮地」の意味になって、‘stand at bay’は熟語になって「追い詰められる」の意味である。これを「湾頭に踞する獅子の如く……髪逆立てて起てり」と訳したのでは弁解のしようがない「逐語訳」である。

こんな風に山縣は抱一庵の誤訳を指摘して、誤訳や脱落はほとんど数え難くあるという。「わずか７ページ200余行の短篇で、しかもトゥエーンの文章の中ではこれは最もやさしいものなのに、抱一庵氏はこれほど多くの誤訳や脱落を示した。こんな調子なのに、なおも抱一庵氏はトゥエーンをすらすら読めると言うのだろうか。トゥエーンを訳す資格があるのだろうか。トゥエーンの文章を評論する資格があるのだろうか」とまできめつけている。

この論争は天下の英語に関心ある人たちの注目をひい

た。それで『中央新聞』の水田南陽という人が、山縣と抱一庵の二人の訳文に原文を添えて続き物として掲載して、英語の大家と言われる人たちの意見も加えて批評した。この結果、山縣の英語力は抱一庵とは段違いにすぐれていることが天下に証明され、抱一庵は全く面目を失った。抱一庵はその後間もなく発狂し、明治37年(1904年)8月に39歳で死に、福島市の共同墓地に葬られた。抱一庵は13番目の子で捨蔵と名付けられ、後に養子に出されて餘三郎(十あまり三の男)と改名した。それでも学校は札幌で学び内村鑑三や新渡戸稲三の同窓生となっている。

マーク・トゥエーンは難しいと山縣は指摘したが、若き日の佐々木邦は自分にはそれを読めることを発見して志を立て英文学者になり、ユーモア作家になった。因果関係はどうなるかわからないものである。(※ 2005.1)

385. *DNB* と新版 *ODNB*

“本業に必要と解っているものを、買おうか買うまいか迷うとは、おかしな人”

DNB（*The Dictionary of National Biography*）の新版 *Oxford Dictionary of National Biography*（60 vols + 1 vol）が出版された。61巻の堂々たる人名事典を見て感慨無量なるものがあった。

最初に *DNB* を買ったのは今から〔40年〕も前のことである。それが実に役に立つものであることはドイツの大学にいる時に実感した。当時の上智大学の研究室にはまだなかったから、ドイツで初めてお目にかかった。「凄い事典もあるものだなあ」と感激した。載録されている人物についての記述のあとに、詳細な参考文献がついているので、次から次へと調べていく場合の出発点となるのである。「自分の書斎にあれば何かと便利だろうな」と思いながら買うのに躊躇していた。何しろ当時の月給の何か月分かに当たる値段なのだ。結婚数年後の妻はきいた。

「何を悩んでいるのですか」

「*DNB* という事典を買いたいんだが高くてね」

「それは勉強に必要なものなのですか」

「あればうんと助かると思う」

「本業に必要と解っているものを、買おうか買うまいか迷うとは、おかしな人」

本を買うのを躊躇したために女房に軽蔑されてはたまらない。それで*DNB*は私の書斎に入った。それから半世紀近く、*DNB*はどれだけ私の時間を節約してくれたかわからない。*DNB*はVirginia Woolfの父、Sir Leslie Stephanが中心となって始められ、本巻21vols、サプリメント1vol.で19世紀までの人名を終わり、それから10年毎に一千ページぐらいの補遺を加えたものが8vols、1980年代は5年毎に加えて2vols、それに脱落した人を拾い上げたものが1vol.で、合計33volsになる。今回の*ODNB*は61volsで、約2倍になっている。これには旧版にない肖像画がかなり多く入れてあるのが新特徴だ。内容の改善も目ざましい。

たとえばアーネスト・サトウ（Ernest M. Satow, 1843-1929）を*DNB*で引いてみると、その略歴や幕末から日露戦争にかけての活躍や、その著述家としての価値はよく書いてある。しかしこの項目を担当したH.W.V. Temperleyは「サトウは一度も結婚することなく、晩年をデヴォンシャの私邸でおくった」と書いている。サトウの私生活についてはこれだけであるが、私の近所にはサトウの孫娘が住んでいて、割に親しく交際している。日本人妻（非白人妻）を伝記から無視しようとする Temperley の（当時の多くのイギリス人の）偽善を感じたものだった。

ところが今回の *ODNB* の著者 N. J. Brailey は、サトウの私生活について大略こう述べている。

「幕府崩壊後、サトウは W. G. Aston、B. H. Chamberlain と共にイギリスの三大日本学者になり、1870年代にタケダ・カネという彼の musumé（mistress, or common-law wife）と家庭を作り、２人の男子を産ませ、1884年バンコックに去った。1895年サトウは駐日全権公使となり東京にもどり、家族と再会した……彼は次男には自分が若い頃好きだった植物学をやらせるために英国にやった〔この息子は後に尾瀬湿原（しつげん）の保護運動の中心人物となる〕。長男は肺結核であったので、気候風土がその病気によいとされるアメリカのコロラド州に移民させたが、サトウの死の３年前にその地で死んだ……サトウは死ぬまで日本人の召使の本間三郎を手放さなかった……彼は1929年８月26日86歳で自宅で死に、その地の教会に埋葬された…」

ODNB が旧 *DNB* の「偽善」を脱していることはかくの如くであるが、いつもそうではない。ブランデン（Edmund Blunden）については、終生彼に盡して裏切られた日本人女性 Aki Hayashi については一言も触れていない。（※　2005.2）

★関連項目：　388/414/415

386. クオリッチ書店物語

「書店業界のナポレオン」とまでなった古書店の変遷

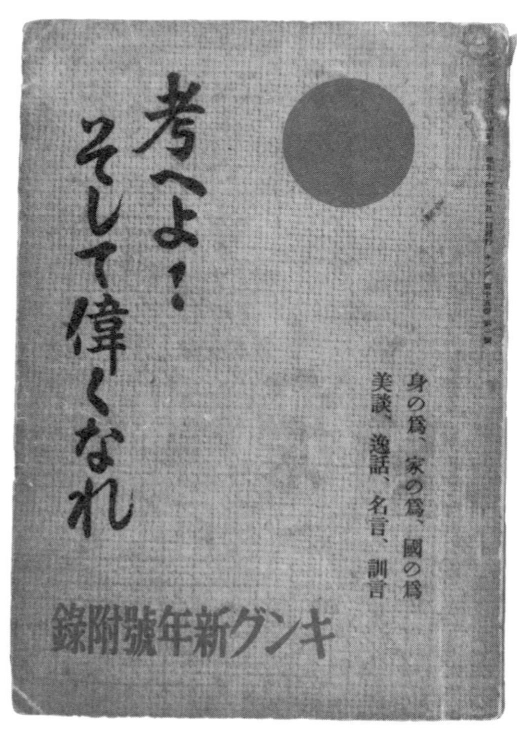

昭和14年（1939年）の『キング』新年号の付録に『考へよ！そして偉くなれ』という156ページの小冊子が付けられている。その頃の『キング』は圧倒的な国民雑誌であった。いわゆる「シナ事変」が始まって２年目に入ろうという頃で、すでに国家総動員法が成立し、日本は更なる大戦争に向かう年である。英米的な自由主義を悪とする宣伝が行われ、経済は着々と統制され、配給制度が始まっていた。こんな時に日本一の出版社が出した国民的大雑誌が、明治時代のスマイルズ（Samuel Smiles）の『西国立志編（自助論）』の中のお話みたいな立志物語を付録として出したのだから驚く。立志物語は自由主義経済の時代の特徴なのだから。そしてこの小冊子の中の逸話も、イギリス人とアメリカ人のものが多い。戦前の日本の言論界は、まだ明るい伝統を残していた。

この『考へよ！そして偉くなれ』の中に、ベルナード・クオリッチ（Bernard A.C. Quaritch, 1819-99）の青年時代の話が紹介されている（筆者は西村鎮彦）。当時ヘンリー・ボーン書店（Henry Bohn）はヨーロッパ各国に支店を持つイギリス最大の書店であった。クオリッチはクロアチア系ドイツ兵士の息子で、ドイツのギムナジウム（９年制高校）で古典語とフランス語を学び、ドイツの本屋に勤務して書誌的な技術を身につけると、イギリスの書店で働きたいと思うようになり、23歳の時にロンドンに渡って、ボーン書店に就職することになったのであった。

ボーン書店では取引先やお客への手紙の書き方を非常に重視していた。ボーン社長は社員たちに対して常々こう言っていた。

「手紙の影響は微妙にして重大だ。手紙一本で大切な取り引きがこわれたり、また有利な条件を生むこともある。このごろの若い者ときたら、大学を出ても手紙一本ろくに書けない者が多い。」

ボーン社長が口述して新入社員に書かせた手紙は、どれもこれも真赤に直されて突っ返され、一度で「よし」とされた手紙は一本もなかった。

「これじゃまるで筆耕に雇われたものみたいだ」とみんなブツブツ言いながら、社長が赤インクで手を入れた手紙を写し替えると、あとは丸めて屑籠に投げ込むのだった。しかしクオリッチだけは、書き直しを終えた後でもボーン社長の直した手紙をすべて保存し、週末に下宿で一つ一つ丁寧に読み返して、文字の使い方や、ちょっとした言い回しで効果がまるで違うことを知り、同じ間違いを繰り返さないようになった。そして28歳の時に自分の店を立ち上げ、十数年後にはボーン書店も抜いてイギリス第一の書店になったのみか、ヨーロッパの書店仲間にも「書店業界のナポレオン」とまで言われるようになったのである。

クオリッチは始めの頃、マルクスとエンゲルスのために、ドイツの新聞の通信員として働いたりもした。後にはディズレリーやグラッドストーンのような書物好きのイギリスの首相たちをはじめ、ラスキンやモリスなどのような文人にも信頼された。その古書の大カタログ17巻は長い間書誌学参考文献として重んじられた。グーテンベルク聖書も何度か扱っている。彼の事業は息子に受け継がれ1917年に有限会社となったが、1971年にクオリッチ家は事業を手離した。私が最初訪ねたのは1958年のことであるが、貧乏留学生には手の出ない古書ばかりだったので嘆息した記憶がある。それが人手に渡り、さらに去年（2004年）の９月15日に、ゴールドマン・サックス社の49歳の投資家に身売りした。〔一昨年〕訪英の折にポール・ゲティJr. の書庫を案内してくれたのはクオリッチの社長であったのだが。古書店も国際的投資物件の一つになった事件である。（※　2005.3）

387. Ascension（昇天）と Assumption（被昇天）

「マリア様が最後に住んだ場所」

〔去年〕の秋は半月ばかり地中海クルージングに出かけた。例年、９月の下旬から10月の上旬にかけて古本の学会があり、〔去年〕はヴェニスで行われることになっていたのであるが、ちょうどその時期にクルージングに誘われたので、学会の方はサボって船旅にしたのである。イスタンブールからシシリア、ナポリ……マヨルカ、バルセロナの旅は申し分ない晴天に恵まれ、海は畳の如く静かで快適この上もなかった。そのうちでも特に印象深かったのはトルコのクシャダスである。

こんな地名は今回の旅まで知らなかった。しかしエフェソス（Ephesus）のことであると言えば知っている人も多いと思う。新約聖書の聖パウロの書簡に「エペソ人への書（The Epistle of St. Paul to the Ephesians)」があるが、あのエペソスのことだからである。今の辞書には「小アジア西部のイオニアの古都」とあるからピンとこないが、地中海に面したトルコと言えば見当がつく。ここでは公会議が開催されたこともあって、古代のキリスト教徒にとっては重要な都市であった。そのせいか遺跡も驚くほど広大で、ざっと歩くだけでも半日かかる。

本当に私が驚いたのはその遺跡のことではない。この近くの山の中に聖母マリアが最後に住んでいた家があるということだった。バスでかなりの山に入ったところであった。そこにはこの辺では珍しく大きな樹木がしげり、その中に小さな石造りの家があって、それがマリア様の家だったということである。さすがに巡礼団も多く、その小さな家の側には戸外でミサを捧げるところもあって、ちょうどドミニコ会の神父らしい人がイタリアかスペインあたりから来たらしい小さな巡礼団のためにミサをあげていた。お土産屋やコーヒー屋もその近くにある。

案内人はアンカラ大学でイタリア文学をやり、論文はボッカチオというトルコ人の才媛だった。日本にも短期留学したことがあるそうで、日本語も達者であった。頭脳明晰で言語的才能に恵まれていることが明らかな女性だった。

このトルコ人の案内人の言葉で私の注目をひいたのは、「マリア様が最後に住んだ場所」と言って、決して「マリア様がなくなった場所」と言わなかったことである。そこで私は聞いた。「ここが最後に住んだ場所なら、ここで死んだのですか」と。彼女は答えた、「それは聞いていません。」

この問答の問題点がおわかりだろうか。それはこういうことである。マリアが「最後に住んでいた場所」であるならば、そこは「臨終の地」と言ってもよいわけである。しかしそうは言わないのである。これはカトリック教会の大問題であり、19世紀後半に教会の分裂を起こすことにもなったことであった。

キリスト教によれば、人間の死は、楽園において人祖が禁断の木の実を食べるという原罪によってはじまったとされる。しかし神の子イエスを胎内に宿したマリアに原罪があるはずがない、という考え方が強かった。原罪のけがれ無きマリアは死んだはずがない。それでマリアの死んだ場所というのはキリスト教団の伝承の中にはないのである。死んだはずのないマリアは最後にはどうなったか。彼女は死なずに天国に「受け容れられた」、つまりassumeされたと信じられ、その被昇天の祝日はAssumption Day（８月15日）とされる。キリストは神であるから、自力で昇天（ascend）したので、キリスト昇天祭はAscension Day（復活祭から40日目の木曜日）という。これは「伝承（tradition）」であり「教義（dogma）」ではなかった。それがdogmaとして公布されたのは1854年（安政元年）のことである。これに反対して教会から出た人たちをOld Catholicという。クシャダスではカトリックのドグマが守られていた。

（※　2005.4）

388. 辞書の新版は進歩とは限らない

DNB 旧版には R.F. Johnston の項に、溥儀と一緒に日本公使館に逃げ込んだこともちゃんと書いてあるが、新版にはろくに書かれてないのである。

Dragon
ι to the
which
tionary
was in
r than

highly
tivities
Chinese
hristian
ler his
Letters
ed how
ological
itic he
olumes
and it
a later
ship of
nearer
ship of

906 to
trate at
China.
udy he

itself. His book gives a most interesting description of the arrangement and life of the Forbidden City in its decline; of the imperial tutors and the Manchu aristocracy; and of the hopes and dreams of the monarchists after the Emperor's abdication and the establishment of the republic in February 1912.

Johnston was still at his post when, on 5 November 1924, the so-called Christian general Fêng Yü-hsiang seized the Forbidden City by a *coup d'état* and expelled the Emperor, who took refuge in the house of his father Prince Ch'un in the northern section of Peking, where he remained under close military surveillance, and in considerable personal danger. From this house on 29 November Johnston was able to contrive his flight to the legation quarter, where he took refuge in the Japanese Embassy. For this deed Johnston had to suffer a campaign of slander and abuse at the hands of the Chinese nationalist press.

In 1925 Johnston left the service of the Emperor to become (1926) secretary to the British China indemnity delegation,

もう〔30年〕ぐらい昔の話になるが、偶然の機会に、百科事典は新版がよいとは限らないことに気がついた。人文学系の勉強のためにブリタニカの版を１つ選ぶとすれば、11、12、13版のどれかがよいし、もう１つ加えるとすれば60年代に改訂された14版がよい。こう若い人たちにすすめてきたが、私の評価は賛成してもらえているようだ。〔最近〕では11版がインターネットで見られるという話を聞いたが、英米でもそう考える人が多くいたのだろう。そんなことでブリタニカを私は初版から全版揃えることになった。日本でも戦前のことを知りたいなら戦前の三省堂の大百科が断然よいが、古本屋ではタダみたいな値段だった。

OED を私は２セット持っている。１つは昔の版に補遺が４巻足されたものである。もう１つはこの補遺を中に取り込んだ新版である。普通は新版をひく。しかしある単語が何時 *OED* に採録されるようになったかを見るには旧版と補遺が必要である。スラング、特に性関係の俗語は採録が新しい。近頃では誰でも知っている c ×× t という単語は、John Minsheu の *Ductor in Linguas* という辞書の初版（1617）には Cu&c として20数行に及ぶ用例や解説があり、Chaucer が quaint と表記していたことも記されているのに、その第２版（1627）からはそっくり落ちている。シェイクスピアの最晩年の頃に編集され、その死の翌年に出版された大きな辞典には採録されたが２版以後は消されたこの単語が、英米の大辞典

にいつ復活したか、というようなことを考えると、辞書がどの版であるかが重要になる。ちなみにこのタブー語を *OED* が採用したのは何時で、アメリカの大辞典が採用したのがいつかということは、社会通念の変遷やら、辞書編纂における許容度（permissiveness）の歴史からも興味があるであろう。

〔最近〕では『大英人名辞典（*DNB*）』の新版が、61vols. という堂々たる形で出版されたことは、本書でも紹介した。その際、Ernest Satow の記述はぐんとよくなっているが、Edmund Blunden の項目からは重要な部分が欠落したままになっていることを指摘した。〔最近〕Sir Reginald F. Johnston の主著 *Twilight in the Forbidden City*（『紫禁城の黄昏』1934）の完訳が出されることになり、私も少し関係したので、彼の伝記を新版 *DNB*（= *ODNB*）で読んでみた。そして愕然とした。彼の人生の最も重要な部分――清朝の最後の皇帝であり満州国の最初にして最後の皇帝であった溥儀との関係――がろくに書いていないのである。映画『ラスト・エンペラー』を見た人なら、少年皇帝の側にいつもついていた黒衣のイギリス人を記憶しておられるであろう。あれがジョンストンである。彼こそは少年皇帝に最後まで最も信頼された人物であり、皇帝の生命に危険が迫った時に、黄塵にかくれて一緒に脱出し、日本公邸に逃げ込んだ人なのだ。清朝滅亡から皇帝脱出までのことをこれほどよく知っているのは皇帝と彼だけなのである。しかもジョンストンは当代一流のシナ学者である。

ジョンストンのこの本は国際的な軍事裁判（いわゆる東京裁判）にも第一級の資料となるはずであった。しかしそれは証拠として採用することを拒否された。採用されていたら東京裁判そのものがほとんど成り立たなくなるのだから占領軍の立場からは当然と言ってもよいであろう。このジョンストンの伝記について、*DNB* の旧版（1949）の筆者 R. Soame Jenyns は、少年皇帝とジョンストンが共に日本公使館に逃げ込んだこともちゃんと書いている。しかし新版の *ODNB*（2004）の記述は不親切であり、省略が多い。旧版の方がはるかに優れているのだ。新しい辞書が出ても、その旧版が貴重だという一例である。（※　2005.5）

★関連事項：385/414/415

389〜391. アイザック・デズレリー再発見

文学や語学をやっている人は、研究者であると同時に、man of letters を志してもよい。

去年（2004年）、Marvin Spevack が *Isaac D'Israeli on Books——Pre-Victorian Essays on the History of Literature*（The British Library and Oak Knoll Press, xviii ＋241pp.）という本を出した。Spevack と言えばシェイクスピアの concordance や editions などで有名なシェイクスピア学者である。彼は Münster 大学では私の恩師 Karl Schneider 先生の後任で、Schneider 先生に一度紹介されて会ったことがある。英語学の先生の後任がシェイクスピア学者というのは少し変だが、ドイツの大学では直系の弟子を後任にしないことになっているという話だった。その Spevack がアイザック・デズレリーの著作からの編集本を作ったのだから少し驚いた。

アイザック・デズレリーの名前は今の英文学史では扱われないであろう。私がこの名前を知ったのは、子どもの頃に鶴見祐輔（鶴見和子、俊輔の父）が書いた『ヂスレリー』（大日本雄弁会講談社：昭和11年534pp.）を愛読していたからである。これは、アイザックの息子のベンジャミンの伝記で、彼はユダヤ人でありながらイギリスの保守党の党首・首相になった人として有名である。この伝記の中に彼の父、すなわちアイザックのことが次のように書いてある。

「彼は朝のうちは自宅の書斎で読書し、読むに従って紙片に抜粋し、午後は英国〔大英〕博物館の図書室に入って、その万巻の書を貪り読み、読むに従って又紙片に抜粋した…博物館の帰路、彼はあちらこちらの書店に立ち寄って古書珍書を漁（あさ）った。そして本屋の主人と本の話をしたり、来合（きあわ）せた文学者と雑談したりするのが一日のうちの精一杯の会話であった。そして何か珍しい本でも見つけると、子供のようにそれをしっかり抱いて、家路に急いだ。ただ早く開けて読みたいの一心で胸が一杯だったのだ。家でも彼は食事以外は、滅多に家人と顔を合せなかった。何か家事の相談でもされると、強盗にでも入られたように恐（こわ）がった。そして一刻も早く書斎に入りたいといらいらした…その読破し抜粋した万巻の書の中から『文学瑣談（さだん）』という相当浩瀚な本が生まれたがこれは当時の読書人仲間には相当歓迎された本であった。詩人バイロンのごときは、この書の愛読者の一人であった…」

このデズレリー首相の父親アイザックの生活ぶりは、少年の私には理想に思われた。それで『文学瑣談』という書名も頭に残った。

それから大戦争があって敗戦があり、その４年後に私は東京の大学に入った。英文科一年生の担任の先生は刈田元司教授であった。先生のお宅は池袋駅西口で降りて立教大学の前を通って椎名町に向う方にあった。池袋西口には広大な闇市のマーケット地帯があり、迷路のようであったが、そこを抜けてしばらく行くと古書店があった。そこで私は Isaac D'Israeli, *Curiosities of Literature* (London: Frederick Warne, 1881) 三巻本の第一巻と第三巻を見つけた。後でわかったのだが、これは The Chandos Classics という通俗叢書版だった。しかし私はこれこそ少年時代から覚えていた『文学瑣談』のことだと思って、二巻が抜けていても構わずに買った。書き込みでは1951年（昭和26年）とあるから〔半世紀〕以上も前の話になる。第二巻は数年後に神田で買った。同じ叢書版であるが装丁の色が違うし出版年が違う。しかし第二巻だけを見つけたというのも何だか不思議である。

この本の内容は雑学的でまことに面白い。たとえば第一巻は Libraries, The Bibliomania, ... Poverty of the Learned というタイトルのエッセイが150近くある。当時の私の知識では「面白い」と感ずることはできなかった。しかし「もっと自分に学識があれば面白いはずだ」という感触だけは残った。（※　2005.6）

(2)

アイザック・デズレリーのような人物が、スピーヴァック（Marvin Spevack）によって新しく研究され、その随筆集が編集・出版されていることは嬉しいことである。シェイクスピアは最も多く研究されているイギリスの作家であろうが、その最先端に立ってコンコーダンスを作り、新しい edition を出し、数々の研究発表をしている人が変わってきたように私は思うのである。それは、スピーヴァックがシェイクスピア研究そのものから、イギリスのシェイクスピア学者 Halliwell-Phillipps（1820-1889）の伝記やその業績、及び書籍愛好家（bookman）としてのその姿を描いた本を出しているからである。このことはつまりスピーヴァックの関心が、シェイクスピアそのものの研究から、シェイクスピアを研究し、そのフォリオ版全集やクォート版のファクシミリ版や古語辞典を出すなどしたケンブリッジの学者、つまりヴィクトリア朝の代表的文人（man of letters）の１人に対する研究に移ったということを示している。その流れとして、今度は関心がデズレリーに向かったわけである。これは英文学・英語学の研究者にとって甚だ興味あることであると思う。日本の例で言えば、『論語』の研究家が、伊藤仁齋の研究に移ったようなものと言ってもよいかもしれない。英文学の著者の作品研究、また英語そのものの研究は当然重要であるが、man of letters の研究は年を取れば取るほど面白くなるということもある。というのは英文学・英語学の研究者は、いわば man of letters になりかけの人であるから、大先達の仕事や人生に興味があっておかしくない。ただこの頃は専門が特化しすぎて、単なる研究労働者みたいな感じで停年を迎えることになりやすいのではないだろうか。自然科学ならそれでもよいだろうが、文学や語学をやっている人は、研究者であると同時に、中年以降は man (woman) of letters になることを志してもよいと思う。それがないと何のために英文科に入ったのか、かなり人生的意味が曖昧になるような気がする。

日本の江戸時代の特色の一つに man of letters が多かったことをあげてもよいであろう（随筆の量の莫大なことよ）。イギリスではヴィクトリア朝時代がそれと似たような現象を示している。ヴァージニア・ウルフはその父 Sir Leslie Stephen（*The Dictionary of National Biography* の初代編集者）というヴィクトリア朝の代表的な man of letters の書庫（personal library）のある家で育ったということが重要である、ということを指摘したウルフの伝記を読んだことがあるが、その伝記の著者の着眼点のよいのに刮目した覚えがある。Leslie Stephen 自身がすぐれた随筆集を何巻も残しているが、それが卒業論文になったり、学会発表になったのを私は見たことがない。作家の研究はやり易いが、man of letters の研究はやりにくいと思う。作家の場合はその独創性に主として注目すればよいのだが、man of letters の場合は、まず研究者に相当の学識がないととっつきにくいし、また論文のテーマとしてもやりにくいところがあるかもしれない。しかし英文学・英語学の道に入ったら、停年前までには man of letters の書いたものが共感をもって読めるようになることを目標にしてもよいのではないだろうか。

ヴァージニア・ウルフは偉大な書庫のある家に育ったがユダヤ人にしてイギリス首相になったベンジャミン・デズレリーは“I was born in a library”というようなことを言っている。政治家にして一流の小説家になった彼の父アイザックの書庫には25,000巻の本があったそうであるが、そして今ふり返ってみるとそれはヴィクトリア朝前半のイギリスの知識人の世界に少なからぬ影響があったのである。（※　2005.7）

(3)

Benjamin Disraeli は、ユダヤ人でありながらヴィクトリア朝の英国保守党の首相で、英国女王をインド女皇（Empress of India）にした大政治家としてその伝記に事欠かない。また彼は一級の政治小説家であり、彼の最後の小説に支払われた原稿料はイギリス史上最高であった。彼の小説はイギリス政界の仕組みを描写しているところから、明治初年にその作品は何度か訳されている（私の持っているものをみると、いずれも完訳でなく大筋である）。このデズレリーは有名であるが、その父 Isaac D'Israeli のことになると情報が乏しい。齋藤 勇先生の『イギリス文学史』（研究社、1974、p.374）にはさすがに次のような言及がある。

「なお、当時文学に関する知識を普及した書籍として、
Isaac D'Israeli (1766–1848) の *Curiosities of Literature*
(1791、'93、1823、'34) があることを付記しておこう。」

『英米文学辞典』(研究社、1985、p.337) にも同じような記述がある。しかし何と言っても詳しいのは息子のBenjamin が、父の死の年に出した版に付けた"On the Life and Writings of Mr. Disraeli by his Son"という伝記である。これは今回のSpevack の本にも再録されているので入手しやすくなった。息子のベンジャミンが書いたこの伝記には、当時のユダヤ人社会のことも内側から触れているところがあって面白い。

デズレリーの先祖はSephardim(イベリア半島・北アフリカ系ユダヤ人) である。ベンジャミンがこのことを強調するのは、北ヨーロッパ系のユダヤ人 (Ashkenazi) は賤民としてイギリスにこっそり入ってきたのに反し、Sephardim は富裕であることやその他のことで、数は少ないけれども社会的に相当有力だったからである。

デズレリーの先祖はスペインにおける異端迫害をのがれて、ユダヤ人に寛容だったヴェニス共和国に行った。そしてフェラーラで繁栄した。そしてこれまでの苦難から繁栄へと導いてくれたイスラエルの神を讃えるために、これまでの姓を捨てて、Disraeli [イスラエル人出身の] という名前に変えたのであった。ユダヤ人でもこういうfamily name を持った家系はないと首相になったベンジャミンは言っている。そしてこのベンジャミンの祖父の

ベンジャミンが1748年（徳川九代将軍家重の時代）にイギリスにやってきて成功したのである。このベンジャミンの二度目の妻の一人息子が首相になったベンジャミンの父のアイザックである。

アイザックは、実業につけようという親の意向には添わない文学青年であった。彼は25歳の時、母方の祖母の全財産を遺贈されたので、働く必要はなくなった。つまりindependentになった。彼の父も亡くなった時は３万５千ポンド（江戸時代のお金では何万両か何十万両になるだろう）残しているから、アイザックは一生、生計にわずらわされることなく、読書と蒐書の一生を送ることができた。その書き抜きをエッセイにして匿名で出したのが*Curiosities of Literature*（1791）である。アイザックは初めの頃は詩も書きSir Walter Scottにも誉められたくらいであるから、彼のエッセイには文学的な香りがあり大成功だった。それで彼は出版者にタダであげた版権を買い戻している。この大人気につられて類書が多く出たが、アイザックのものだけが長く人気があったのは文章の質によるものであろう。

彼の本の愛読者にはByronはじめ有名な文人が多かった。彼のオリエンタル趣味の小説はそのジャンルのはしりであり、スチュワート王朝の研究では、資料の新しさや公平さでOxford大学から名誉博士を与えられている。このようなman of lettersの研究が新しく始まったことを喜びたい。（※　2005.8）

392. Denizen と Citizen

“国内に定住している外人”

ある国の国民を指す場合に、その国の「市民(citizen)」ということがよくある。それと似たような単語に denizen というのがある。これは『ジーニアス英和大辞典』(大修館)によれば、「《英》(市民権を持つ)居留民、帰化人」とある。「市民」と「市民権を持つ居留民」とどこが違うのであろうか。たしかに denizen という単語が人間について用いられる文章に出会うことは滅多にないので、あまり気にしていなかった。

先日、Isaac D'Israeli の本を読んだついでに、息子の Benjamin Disraeli(父子で表記が少し違う)が書いた父親の伝記も読み返してみた。その中に「1748年に English Denizen になった私の祖父」という記述が目にとまった。ベンジャミンの方は言うまでもなくイギリス保守党の首相になった男である。ことばの使い方は厳密だったのである。するとイギリスでは citizen と denizen には違いがあることがわかった。

この denizen という単語の語源は、『ジーニアス英和大辞典』が正しく示すように〈初15C;古フランス語 deinz(…の中に).「…の中に住んでいる人」が本義〉でよいであろう。これはさらにさかのぼればラテン語の

deintusになるらしいが、これはforas（外へ）というラテン語がforaneus（外人、外国人）となったのと対になる。すなわち外国人で外国に住んでいるような人はforeignerであるが、自分の国に住居を定めているforeignerがdenizenということになる。つまり「国内に定住している外人」である。

そこでイギリスではどうなるか、といえば、denizenはもちろんイギリス生まれではない。しかしイギリスに住むことを許され、勅許状（royal letters patent）によって市民権（citizenship）を与えられた外国人ということになる。ただしこの場合、いかなる公職（any public office）につくことも、相続することもできないとしてある。デズレリーの祖父はこの資格だったのである。この点アメリカは、大統領にはなれなくても、国務長官のような高い公職につくことができるから、アメリカの文献ではdenizenということばにお目にかかることが少ないのは当然である。

ところでデズレリーの祖父はdenizenとして大金持になった。そして父はイギリス生まれだから始めからイギリスのcitizenである。はじめは祖父と同じくSephardi系のユダヤ教徒だったが、そのロンドンのシナゴグの上の人たちと寄附金のことでいさかいを起こし、シナゴグをやめた。特にキリスト教を信じていたわけではないが、アングリカン教会の籍に入った。息子のベンジャミンが後にイギリスの首相になれたのも、この偶発的とも言える事件に負うところが多い。いくら優秀でも19世紀のイギリス政界が、シナゴグに通っているユダヤ人を首相にはしなかったであろうから。

ベンジャミンの父アイザックは、名誉革命後は悪口を言われる一方のスチュアート王朝の弁護になるような歴史を書いた。アイザックは当時未刊であった多くの日記や書簡を利用して歴史を書くという、新しい、かつ堅実な歴史研究の方法を開拓した。これは後のマコーレーの『英国史』の方法の先駆となったものと考えられる。特にチャールズ1世の伝記5巻は、オックスフォード大学から名誉博士（D. C. L.）を授けられるほどのものであった。このことを指して、息子のベンジャミンは「彼〔アイザック〕はその一世紀前に彼の父〔ベンジャミンの祖父〕に対して英国が与えてくれた保護と待遇に対して、英国へ恩返しをしたと言えよう」と書いてその伝記を結んでいる。一ユダヤ系 denizen の子孫の美しいことばであると思う。（※　2005.9）

393. The Glorious Revolution と辞書

〔近頃〕は老人などに音読がすすめられている。私の通っていた市立小学校は旧藩校で、旧藩士の家の出身者の先生たちが多かったから、藩校時代の素読尊重の風習の名残りがあった。「朝読み」と言って、「登校前の10分か５分か、国語の教科書を音読しろ」という教えだった。〔最近〕の脳の研究では、音読すると、すぐに脳の血流が増す、つまり脳の活性化になると言う。昔の人は体験的に「朝読み」の効果を知っていたらしい。

幼児期からの習慣で、早朝に出かける必要のない日には私は大人になってからも「朝読み」を続けてきた。ハマトンの本などは何度も音読による通読をしている。〔現在〕はマコーレーの『英国史』の朝読みを続け、７月下旬現在、第２巻の530ページあたりである。マコーレーの『英国史』はさすがに一世を風靡した名著であって、vocabulary が無暗に豊富であるが、読んでいる時の調子がよく、こっちの気分もよくなって、15分ぐらいでやめることにしているのが30分以上になることもある。読んでいて今さらながら自分の語彙の貧弱であったことを痛感する。と同時に嬉しくなることもある。というのは意味が通じにくいと思った時は、その単語が現在の意味でないことが多く、辞書に当ってみると、必ず《古》とか《廃》の印がつけられているのである。「今の意味でないはずだ」という感じが必ず当っているということは、自分が正しく読んでいる証明であるから嬉しい。

マコーレーは、いわゆるWhig史観の人で、オレンジ公ウィリアムがオランダからやってきてイギリスの王位についたことに賛成する立場とされる。この王位交替（1688-89）は、内乱の血を流さずに行われたので「無血革命（the Bloodless Revolution）」とか、「名誉革命（the Glorious Revolution）」とか呼ばれているとわれわれは習った。しかしマコーレーが精緻に叙述してゆくこの王位交替に、こういう言葉は1回も出てこないのだ。

それでふとGlorious Revolutionは誰が最初に言い出したのか、と思って*OED*を引いてみたが、gloriousの項目にも、revolutionの項目にもない。この項目にあるのはEvelynが‘this *prodigious* Revolution’と言っているのとLuttrellの‘this *great* revolution’という言い方だけである。マコーレーの『英国史』からの引用は“The Revolution...”となっていて形容詞がつかない。Edmund BurkeもHenry Hallamも形容詞なしである。

では‘Glorious’という形容詞はどこから来たのであろうか。ひょっとしたらアメリカからかとも思い、*Century*を引いてみたが、American Revolution（つまりアメリカ独立）やEnglish Revolution（いわゆる名誉革命）はあってもgloriousという形容詞はない。ところが*Webster*の第2版（1941）には見出しとなって入っているからさすがである。しかし誰が最初に使い出したかは不明である。*OED* が戦後の補遺（４巻本）にも入れてないのはおかしいと思ったが、*OED Additions Series* Vol. 2（1997）を見たら入っていた。初出はBradbury の説教（1716）であり、次は1827年の Hallam の『イギリス憲政史』第２巻第14章429ページに出ているとしてある。私の持っている Hallam, *The Constitutional History of England* 1863年版ではページが合わないので、14章全部読み返したら、「公法の言葉の中で The Glorious Revolution と強調されている」として、ただ１回出てくるだけで、Hallam 自身の叙述では "...this rapid and pacific revolution; it cost no blood" とあり、その他の個所ではすべて単に 'the Revolution of 1688' としてあった。（※　2005.10）

394. 最も聞きたい英語

東京裁判は日本の共同謀議による人道に反する侵略戦争ということで日本人を裁いた。…それをマッカーサー自身が公式に取り消した。

〔今年〕は終戦60周年であると共に、日露戦争終戦100周年でもある。この前の戦争には日本は敗れたが、日露戦争には勝った。日本海々戦の戦勝百周年記念の催しが対馬でも行われ、その際、あの大海戦で戦死した日露両軍の将兵のための慰霊祭が行われ、新しく慰霊碑が建てられ、それにはロシア大使やロシア正教の聖職者も参列した。まことに恩讐の彼方（かなた）の行事でうるわしい風景であった。

これに反してこの前の戦争の傷あとはまだまだ癒えていない。隣国は日本の首相の靖国神社参拝にまだ文句をつけてきている。A級戦犯を祀ってあるのが怪しからんということである。サンフランシスコ講和条約第11条に、「日本政府が東京裁判のjudgmentsを受諾した」とある文章を日本政府は東京裁判そのものを受諾したのだという新解釈が横行し始めたからである。講和条約当時の日本政府で議会はこのjudgments（諸判決）の意味を正しく理解し、その第11条にもとづいて、関係各国の諒承と国民の請願（四千万人の署名）を得たので、いわゆるＡ級戦犯の判決を下された人をもすべて釈放し、その中には法務大臣や外務大臣として戦後の内閣の要職についた人たちもある（死刑になった人は生き還らすすべがなかっただけである）。それを何年か前からか、日本は東京裁判の下した個々の判決でなく、裁判全部を受諾した、つまり日本は侵略戦争をやったということを受諾したという言い方が出てきた。しかしもし政府がそういうならば、それは約〔半世紀〕前の各国の判断や、日本政府と日本議会の決議をひっくり返して、もう一度議会でやり直さなければならない。事実やり直さないであろう。戦犯問題はすでに〔半世紀〕前に国際的にも国内的にもないことになっているからだ。

こんなことが〔今頃〕問題になるのは、中曽根さんも、小泉さんも、細田さんも、加藤さんも、朝日新聞論説委員も、議会議事録を読んでいないからである。ユダヤ人でありながら19世紀後半にイギリス保守党党首となり首相となったベンジャミン・デズレリーは議会討論で無敵ぶりを示した。その秘訣を彼は語っている。「私は暇があれば議会議事録を読み直していた」と。日本の政治家にも参考にしてもらいたいところである。

では今から〔半世紀〕も前の日本の政治家や外務省が、今よりはるかに毅然たる態度をとり続け、戦犯という言葉も、実質もないと判断し、遺族年金まで支給できたのはなぜであろうか。それは1951年（昭和26年）という早い時期に、連合軍最高司令官であった人が、その権限のみにもとづいて行われた東京裁判を、公式な場で実質的に取り消す発言をしていたことが、伝えられていたからだと思う（このことは当時も今も日本のマスコミに出ない）。

このマッカーサー発言の原文を最初に雑誌に引用したのは私だと思うが（〔十年〕以上も前の雑誌 *Voice*）、これはすべての日本人が暗記しておくに価すると思うので、ここにも引用しておきたい。全国の英語の先生はこの一文を教室で教えるべきだと思う。

Their［=the Japanese people's］purpose, therefore, in going to war was largely dictated by security.

（したがって彼ら〔日本人〕が戦争に突入した目的は、主に自衛〔生存〕にせまられてのことだった。）これはアメリカ上院の軍事外交合同委員会における公式の証言である。東京裁判は日本の共同謀議による人道に反する侵略戦争ということで日本人を裁いた。いかなる国際法の条文にもよらず、マッカーサーの権威によるものだった。それを彼自身が公式に取り消しているのである。日本のマスコミがそれを隠してきたのは、東京裁判のもとに利益を得た人が多すぎたからであろう。

（※　2005.11）

395. revisionistという単語

〔最近〕２度ばかりrevisionistという言葉を耳にする機会があった。語彙数の多い『リーダーズ英和辞典』（第２版；リーダーズ・プラスも含む）にも収録されていないから、あまり使われることのない単語であることがわかる。念のために〔現行〕の大辞典で見てみよう。

大修館『ジーニアス英和大辞典』名形修正（社会）主義者（の）、対日政策強硬論者

研究社『新英和大辞典』（第六版）n.《主に軽蔑》１修正論者　２修正社会主義者　３修正者―adj. …… [1865]

小学館『ランダムハウス英和大辞典』（第２版）１（特に政治理論・宗教教義についての）修正［改正］論者　２修正［改正］者（reviser）；《R-》（聖書の）改訳者　３修正主義の支持者―adj. …… [1865]

日本の読者が見慣れた意味での「修正主義者」はマルクス主義についてのものだったと思う。[1865] というのは*OED*の初出の年を示しているが、この時は教会の典礼の復興に関して使われたものであり、われわれとは関係のない時代の関係のない分野の話であった。

この言葉が実際に使われるのを私が聞いたのは1969年の春頃、ミシガン州においてであった。私はそこで半学期の講義をすることになっていたのであるが、私の接待

係の教授はWysongという歴史家であった。彼の家に招かれて雑談している時、どういうきっかけか第一次世界大戦の話になった。私は「あの戦争ではドイツよりも先に連合国側が動員令を出したと思う」と言ったら、Wysong教授は「それはrevisionistsの言うことだ」と注意してくれたのである。第一次大戦ではアメリカはヨーロッパに大軍を送り、大きな人員の被害を受けたが、一般のアメリカ人には何の見返りもなかった（一部の工場主たちは大儲けをしたが)。それで反省の気分がアメリカに生じ、「あの戦争はドイツが起こしたというよりは、フランスが起こしたのだ」という話が広まった。ドイツ軍国主義よりも、フランスのポアンカレ首相の方が悪かったんだというrevisionist historiansが多く出た。

そのままだったらrevisionist historiansに軽蔑の意味がつくことはなかったかも知れない。しかしそれから数年後にはヒトラーが出てきたので、ドイツの弁明をしたような歴史家たちは面目を失った。本当は第一次と第二次では世界大戦の原因は全く違うものだったが、戦争ともなればプロパガンダの時代に入り、冷静な歴史観などはすっ飛んでしまう。

〔最近〕この言葉が使われるのは扶桑社の歴史教科書編集者達に対してである。極東国際軍事裁判（東京裁判）で検事側の論告（これは判決と同質）に沿った歴史教科書が使われていたのに対し、それはあまりにも偏向しており史実とも違うのではないか、という立場から扶桑社の教科書が出されたわけだが、これは東京裁判史観の立場から見ればまさにrevisionistの行為ということになる。ついでに言っておけば私は扶桑社の「歴史教科書を作る会」には、すすめられたけれども考えるところがあって入らなかった。しかし第一次大戦に対するrevisionist historiansは、ヒトラーが出たために軽蔑されるに至ったが、東京裁判の場合は違うと思う。というのは東京裁判を行なわせる唯一の法的根拠であったマッカーサー元帥自身が、明々白々なrevisionistになったからである。前項に引用したが、1951年5月のアメリカ上院での証言で、彼は「日本が戦争に突入したのは主として自衛（security）のためだった」と言い、その理由としてあげているのは東條A級戦犯被告の宣誓口述書と全く同じ主張だからである。（※　2005.12）

郵便はがき

料金受取人払郵便

堅田局
承認

1999

差出有効期間
令和４年７月
31日まで
（切手不要）

5 2 0 0 2 9 0

滋賀県大津市南比良1078-8

広瀬書院 sc係 行

★お差し支えない範囲で御記入下さい。 ★先回御記入の場合は、変更部分とお名前のみで結構です。

フリガナ		性 別	男 ・ 女
お名前		生年月日	（大・昭・平） 西暦 年 月 日生 歳
御自宅	〒		
御勤務先	〒		
お電話	（自）	（勤）	
e-mail			
御職業	1.会社員 2.会社役員 3.公務員 4.自衛官 5.教職員 6.団体職員 7.農林漁業 8.自営業 9.自由業 10.主婦 11.学生 12.無職 13.その他（ ）		

・ご記入いただいた個人情報は新刊のご案内等、小社からのお知らせのために使用し、その目的以外での利用はいたしません。

書　名	渡部昇一ブックス 17 アングロ・サクソン文明落穂集 ⑩

お差し支えなければ、**座右の書**及び／又は**座右の銘**を御記入下さい。（勿論複数可です）お考え或は御説明などと共に、「10代から」とか「70代から」など初発時期も分かればお書き添え願います。

本巻で御興味のあった内容と御感想。その他、御意見何でも。

付記：社名入りのボールペンが100本ばかりあります。在庫限りですが、御希望でしたらお送りします。右を○で囲んで下さい。　［ **不要・要** ］

396. Neo-Creo 問題

新しい形の Darwinists vs. Creationists の対立

進化論は日本では当然のこととして受け容れられていて、社会問題として話題になるということはまずない。進化論を最初に日本に伝えたのは明治10年（1877年）に動物学教師として東京大学に招かれたモース（Edward S. Morse）だと言われる。彼は大森貝塚の発見者としても有名である。このモースの推薦で哲学教師として東大に招かれたのがフェノロサ（Ernest F. Fenollosa, 1853-1908）であるが、彼はスペンサーの進化哲学に重点を置いた。つまり明治10年代はアメリカから来た学者たちが、自然科学（動物学・生物学）でも哲学でも進化論を説いた。その影響を受けた東大初代綜理（総長）の加藤弘之は、それまでの自分の著書の絶版広告を新聞に出して、社会ダーウィニズムを説くようになった。

こんな具合で日本には進化論がすんなりと入った。戦前の旧制中学の博物学教科書は進化論の入門書のようであった。だがファンダメンタリスト（聖書のことばは『創世記』でも文字通り信じようという人）の強いアメリカではそうもいかない。進化論を教えた教師が学校から追放されるとか、何十年後に名誉回復されるとか、今もって進化論は教育界や思想界ではうるさい問題になっている。

進化論を表す evolution、あるいは Darwinism ということばは19世紀から普通に使われている。ちなみに Darwinism という単語を最初に使ったのはハックスレー（Thomas H. Huxley, 1825-1895）であるが、本のタイトルとして最初に使ったのはウォレス（Alfred R. Wallace, 1823-1913）で1889年出版の500ページを超える堂々たるものである。

これに対して、聖書の天地創造の記述を信ずる人たちのことを creationist、その主張を creationism と言う。これらのことばも19世紀から使われており、ダーウィン自身も自分の批判者のことを creationist と呼んでいた。しかし自然科学者の主流（mainstream scientists）は creationists の言うことを本気で問題にしないのが普通であった。進化学が予想したような化石が出てくるからである。

ところが〔近頃〕、また新しい形で Darwinists vs. Creationists の対立が話題になり、*The New York Times* も大きなスペースをこれに与えている。それは1988年に Charles Thaxton が、「生物に存在する DNA は a designing intelligence の存在を証明するものである」という主旨のことを言ったからである。「神」という単語の代りに「設計する知性」と言ったわけである。

形容詞で言えば、Divineという単語をIntelligentと置き換えただけの話であるが、受ける印象は全く違う。Godとか Divineと言うと科学と無関係な感じになるが、Intelligenceとか Intelligentと言えば科学用語になる感じだ。事実、アメリカのpop-philosophy（大衆的修養書）の中にはGodを避けて大文字のIntelligenceが使われることが稀ではない。DNAの巧妙な配列を見れば、それは偶然ではありえず、偉大なる知性（創造主）がいたに違いない、という主張で、昔から神の存在の証明としてよく使われてきた「精巧な時計があれば、それを作った人がいたはずだ」という論法と同じである。日本では村上和雄氏などが、DNAを研究すると、その背後にsomething greatの存在を認めざるをえないと言っておられるのと同じことである。

これに対して進化学者は、ファンダメンタリストよりも design proponents（intelligence designの主張者）の方が理性や科学にとって危険だと言い、neo-creo（新型の創造論者）と軽蔑的な名称を与えている。

（※　2006.1）

397～398. Ministry（英国政府）の起源

名誉革命後の偶然の産物

ヨーロッパ大陸やイギリスの「内閣」がcabinetと呼ばれていることは誰でも知っている。元来cabin（小屋）という単語の指小辞（diminutive）であるcabinetの意味は「小部屋」であった。宮殿の小部屋に、ごく少人数の人が集って、国家の外交・内治についての機密事項を相談することを元来はcabinet councilと言った。（日本でも明治維新を決定づけた小御所会議があったが、この場合の「小」と似たようなものである。）そのうちcouncilが省略されることが普通になって、cabinetは「内閣」として普通の単語となった。

ところがMinistryという単語もあって、これもthe M～と大文字にして英欧の「内閣」を示すと辞書では説明している。ではcabinetとministryはどこが違うのか。

この単語を*OED*で見ると、元来は宗教界の用語、初出はWyclifで1382年とある。つまりminister（聖職者がその仕事をする）という動詞の名詞形であるが、18世紀には「一国の行政をまかされたminister（大臣）たちの一団」ということで、その用法の初出として『ガリバー旅行記』の著者Swiftの1710-11年の書簡を引用している。そして18世紀には定冠詞theなしで単にMinistryと言われることが多かったという。

このMinistryこそは英国の大発明であったことをマコーレー（T.B. Macaulay, 1800-59）はその蓋世の名著『英国史』*History of England from the Accession of James the Second*（1848-61）の第20章で述べている。その大要は次の如くである。

「このMinistryという制度の発達を跡づけようとした人はまだいない。それができたのは偶然（chance）と英知（wisdom）によるものであった。しかし英知と言っても政治哲学の立派な原理に合うような最高級なものでなく、毎日生ずる困難を、毎日何とかやってゆくための低級な英知である。あの静かな革命（that noiseless revolution ＝名誉革命）は1693年の末に始まって1696年の末に完了したのであるが、主役のオレンジ公Williamも、彼の最も頭のよい参謀役たちも、この革命の本質や重要性を十分に理解していなかったのである。この革命の初期においては、政府の主要なポストは、２つの重要な政党であるWhigs（議会尊重派）とTories（王権尊重派）に、ほぼ公平に分けられていた。そして重要なポストについた人たちは党派心が強く、お互に絶えず罵り合い、弾劾動議をお互に出し続け、喧嘩がやむことはなかったのである。下院もまた荒れて統制がとれず、安定から程遠かった。しかしそれから３年経った1696年の終り頃になると、国王に属する主要なポストはすべて

Whig 党員によって占められており、彼らは公的にも私的にも一致団結して事に当るようになっていた。また下院の多数派も Whig 党の指導者たちの下に、あたかも 1 人の人間の如くきっちりと動くようになっていたのである。このことは誰の目にも明らかになっていた。この変化を成しとげた中心人物は Sunderland（= Robert Spencer, 1641-1702。故ダイアナ妃の先祖）であった。」

James Ⅱ（在位1685-88）がカトリック復興を推し進めた時、彼の娘 Mary の夫であるオランダ人オレンジ公 William がプロテスタント貴族たちの支持を得て英国に攻め入り、James Ⅱはフランスに逃亡した。これがいわゆる「名誉革命」のはじまりであるが、依然としてイギリスの中には、世襲の王権を重んずる貴族や庶民も多く、国内に不満は絶えなかった。そして James Ⅱの反攻の可能性もあった。そんなごたごたが政府や議会にも現われていたのであるが、それが1696年までには Whig 党のもとで固まった。その Whig 党の中心人物たちが行政を仕切り、その小さな集団が大文字の Ministry と呼ばれるようになったというのである。（※　2006.2）

(2)

議会制度というのはイギリスに発生して、それが近代国家のすべてに普及した、と一般には教えられてきた。少くとも私はそう教えられたが、何となく「おかしいな」と思うこともあった。フランス革命の前にもフランスに議会があったと教えられたからである。

しかし現代の先進国の議会はイギリス型であることは確かである。ではフランス型などと違うイギリス議会はどうしてできたのか。それはイギリス議会の上に、前項で述べたMinistryという制度ができたからである。イギリスの議会の制度は古いが、このMinistryの制度は、Plantagenet王朝（Henry Ⅱ から Richard Ⅲ まで；1154-1485）にもなかったし、Tudor王朝（Henry Ⅶから Elizabeth Ⅰ まで；1485-1603）にもなかったし、Stuart王朝（James Ⅰから James Ⅱ；1603-1688）にもなかった。それは名誉革命の後の偶然の産物であって、いかなる法律の本にも規定されたことがなく、De Lolme（1740-1806；スイスの著述家で有名な著書は *Constitution of England,* 1775）も、オックスフォード大学における英国法の初代の教授である Sir William Blackstone（1723-1780；その *Commentaries on the Laws of England,* 4 vols. 1765-9は今日なお最良の英国法通史といわれている）も、このMinistryという制度については注目していないとマコーレーは指摘している。（*History of England,* Chap. xx）

イギリスで発生した超重要な制度であるのに、その後の英国法の大学者も無視しているところが面白い。マコーレーは歴史家としてその発生に気付いた。そしてそれは王家と女系という現代日本の問題と似たところに理由があったようだ。

スチュワート家のJames Ⅱは熱心なカトリックであった。しかしイギリス人の大部分はすでにプロテスタントになっている。それでもイギリス人は王様がカトリックであることに我慢する方向にあった。しかしJames Ⅱはあまりにも愚行を重ねるので、その娘Maryが嫁いだオランダのWilliam of Orangeを迎えてイギリス王にすることになった。これが名誉革命と言われるものなのだが、明らかに女系の国王である。Williamは元来Orange家、つまり南フランスのオラニエ家の系統で、その領地をオランダのNassau伯爵家が継いだのがオランダのオレンジ（オラニエ）家である。当時はばりばりのプロテスタントであった。つまりJames Ⅱの娘の夫だったので英国王になったのだ。

James Ⅱは愚かな王様であったが、正統性がある王である。そのため彼がフランスに亡命してからもジャコバイツ（Jacobites）というJames Ⅱ支持派がいた。彼らは18世紀に入ってからもスチュワート王朝復興のための兵を挙げているほどである。一方で、Williamがイギリスで国王になってからも、Tory党と呼ばれる王権尊重派は国王のやることに反対したがった。議会は召集されたが、何百人もの集団が何かを決めて実行することは不可能で、国王ははじめTory党からもWhig党からも実務に通じた者を選んで行政をやらせるしか方法はなかった。これがministersであるが、お互いに仲が悪い。それでEarl of Sunderland（Robert Spencer, 1641-

1702）が William を動かし、Whig 党員だけの執政機関を作った。これが Ministry であり、これが一体となり政治を動かしてゆくことになる。Whig 党が下院の多数党になっていたからやれたことである。それまでの cabinet のメンバーは国王が勝手に選んだが、Sunderland は議会の多数党からだけ選んだ。これだけの差がイギリス議会の成立の要（かなめ）であり、世界の議会制度の手本となったのである。（※　2006.3）

The Oxford
English
Dictionary

VOLUME I
A–B

OXFORD · AT THE CLARENDON PRESS

399. 名詞に格はいくつあるか ——現代の文法家の退歩？

英文法史の知識は英米の学者にも欠けているので、今もって名詞は２つの格しかないと考えて、…。

〔現在〕出ている英文法書の中で、最も新しく最も厚いものは、おそらく *The Cambridge Grammar of the English Language* by R. Huddleston and G.K. Pullum（Cambridge University Press, 2002, xvii＋1842pp.）であろう。そこで名詞（noun）の項を見ると、名詞の変化は数（単数か複数か）と格（plain か genitive か）であるとしている。つまり格は２つであると考えている。学校文法で普通に学ぶ主格と目的格を一緒にして plain［case］と呼んでいる。これに対して、代名詞には nominative（主格）、accusative（目的格）、genitive（属格）と３つの格を認めている（上掲書 pp. 326-7）。

こういうやり方を形態重視主義（formalism）と呼ぶ。確かに The *dog* killed a cat. の場合も、A wolf killed the *dog*. でも dog の語形に変化はない。つまり plain である。見た目で、つまり形態で格を数えれば、名詞の格は dog と dog's の２つしかない。これに反して代名詞の場合は、I, my, me というように、格によって形態が変わるから、どうしても格は３つにしなければならない。つまり formalism とは見た目だけを重視する主義のことである。

これは学校文法、つまり規範文法の祖とも言われるマレー（Lindley Murray, 1745–1826）が1795年に *English Grammar* を書いた時と同じである。これが爆発的な人気を呼んで英文法と言えば Murray になってしまった観があるのであるが、Murray 自身はその後名詞の格を２つと考えることは実際的でないと悟り、初版が出てから丁度10年後の1805年の12版では、名詞の格は３つにして目的格 objective case（= accusative case）を認めた。いな、認めざるをえないようになった。

文学書については初版とその後の版との差など、版が問題になることは普通であるが、文法書をその版を追って検討するということは今までなかったと言ってもよいと思う。Murray の初版からその後の12年間に出た16の版を検討して、そこに重要な変化がいくつも見られることを発見したのは池田真氏（上智大学）である。〔昨年〕のイギリス国学協会における発表はそれを明快に示した画期的なものであった。その要点を簡単に紹介したい。

まず David Crystal, *The Stories of English*（London: Allan Lane-Penguin, 2004, p.397）は、「Murray はたった２つの名詞の格、すなわち主格（nominative）と所有格（possessive）しか認めなかった」ことをあげ、形式

尊重主義的な分析を評価して Murray をほめている。しかし、あにはからんや Murray は名詞に２つの格を認めるだけでは文法教育は成り立ち難いという認識に至るのである。しかしさすがの Crystal も、文法書の諸版を比較するところまでは研究が進んでいないので、上のような発言になったのである。

当時の学校教育では parsing（品詞の文法関係を説明すること）が盛んに行なわれた。先生と生徒との問答で、「なぜこの文で動詞が他動詞と言われるのか」と先生がきいた時、生徒は、「代名詞が目的格になっているからです」と答えることになっていた。しかし名詞だったらどうか。他動詞の目的語が主格では子どもの頭が混乱する。それで Murray は次第に妥協的になり、ついに９版（1804年）になると「ある文法家たちは objective case と言うように」と言うに至る。そして批判に完全に答えたのが12版（1805年）ということになる。つまり池田氏の言うように名詞の目的格を承認したことによって規範英文法は完成したのである。しかし英文法史の知識は英米の学者にも欠けているので、今もって名詞は２つの格しかないと考えて、Murray の初版の水準にまで退歩しているわけだ。（※　2006.4）

400. 頭と体をよくする方法——アメリカの雑誌から

平均寿命が長くなったせいで、日本でも健康に関するテレビや新聞、雑誌や単行本が多い。私の記憶ではこの傾向はアメリカの方が30年ぐらい早かったと思う（ジェンダーの問題と同じようなものですね）。日本ではまだあまり普及していなかったサプリメントという栄養補助剤もアメリカでは早かった。ノーベル賞を２つ（化学賞と平和賞）を授与されたポーリング博士（Linus Pauling, 1901-94）が大量のビタミンＣの服用を推奨・実践したのも大きな流れの原因の一つとなった。そこからメガビタ主義というのも生まれた。各種類のビタミンを大量に含んだ錠剤がアメリカで売られていて、私もそれを一瓶もらったことがある。「笹川良一さんも愛用している」と私にそれをくれた人が言っていたが本当かどうかは知らない。日本では三石巌先生がメガビタ主義の元祖と言ってよいだろう。

ともかく健康のためのジムとか、サプリメントはアメリカが本場である。ジョギングもエアロビックスもアメリカから始まった。アメリカは健康ブームの本場であると言ってもよい。当然、それに関する本や雑誌も多く出ている。〔今年〕になってから *Time*（Jan. 23, 2006）は、「頭をよくする方法（How to Sharpen Your Mind）」ということで20数ページの特集をやっているし、*Newsweek*（Feb. 20, 2006）は「運動と加齢——いかに長く元気でいるか（Exercise & Aging: How to Stay Fit Longer)」という特集を組んでいる。これらは健康意識先進国アメリカのこれまでの探求結果の総決算とも言えるものと見なしてよいだろう。

先ず気になるのは「頭をシャープにする方法」である。しかし、以前の雑誌のように驚くような大発見はない。みのもんた氏の番組が毎週のように大発見の報告をしているのと対照的である。先ずよい頭を造るのと、一時的に頭の働きをよくするのとは違うという指摘がある。頭をよくするには、つまり脳をよくするには魚をたべることがよいという。それはOmega-3s、つまりDHAが脳によいからである。そこに登場するのが伝統的日本食と地中海料理である。しかもこれは週２回以上にすべきである。もっとも〔近頃〕では水銀やPCBなどが魚肉に含まれるので油断できないという警告つきだ。だからこの方面の権威であるワイル博士（Andrew Weil, M.D.）はアラスカの鱈やベニザケをすすめている。インドにアルツハイマーがうんと少ないのはカレーに含まれるクルクミンのせいではないか、と同博士は言っているが、平均寿命がまだ短いインドでは、アルツハイマーが出る前に死んでいるのではないか、と素人の私は考えている。一時的に頭をシャープにするには、何と言っても熱いコーヒーだという。

アメリカで問題になっているのは、multitasker であるらしい。この単語はまだ英和辞典には入っていないと思うが、一時にいろいろの仕事をする人である。絶えず電話やメールを受けながら仕事をする人たちが増えてきた。この人たちは多くのことをこなしているので、創造性に富んでいるかの如くである。しかし一日８時間以下の睡眠の人は集中力の欠如につながる傾向があり、問題を解く能力を害される。創造力は「ひらめき」から出ることは稀で、不断に考え続ける結果である。毎日、瞑想の習慣をもつと大脳皮質を変える力がある。体を動かすことは脳の活性の維持に役立つ（アリストテレスも散歩して考えた）。

Newsweek 誌の抗加齢運動（anti-aging exercise）でも、散歩とか家事とか、日常の体を動かすことの重要さを指摘している。特にエアロビックスをやる必要はない。などなど、*Time* も *Newsweek* も特に新発見を伝えていない。まことに「日の下に新しきものなし」といった感じである。（※　2006.5）

401. 悪貨が良貨を駆逐した

銀貨の端を削る（clip）ことがもうかる仕事だと解った。

かの大物理学者ニュートン（Sir Isaac Newton, 1642～1727）の伝記を見ていると、ちょっとひっかかるところがある。放心の話をいくつも残しているニュートンが、Warden of Mint（1696）、Master of Mint（1699）になっていることである。mintというのは通貨鋳造所、つまりお金を作る役所である。そんな俗中の俗事ともいうべき役所の長官にabsence of mindの逸話に富む学者がどうして任命されたのだろうか、ということである。

しらべてみると名誉革命（1688-89）後のイギリスにおける最大の問題の一つが通貨の問題であり、これにはロック（John Locke, 1632-1704）のような哲学者なども加わり、いろいろな議論が交されていたのであった。ニュートン自身、通貨鋳造についてのレポートも書いている（1717）。その通貨問題というのが、今日の経済理論のようなものでなく、極めて俗っぽい話なのである。つまり、clippingである。このclipという単語は「切り取る」という意味で、これにoffとかawayとかいう副詞をつけることが多い。問題のclippingは木の枝を切るとか、羊毛を刈り取るとかではなく、「銀貨の端を削り取る」ことである。

イギリスのコインは銀貨が中心であったが、その鋳造が行なわれるようになったのはエドワード１世（在位1272-1307）がフィレンツェから熟練工を招いてからだと言われる。やり方は銀の板を大きな鋏で切り分け、それを金鎚で打って形を作り刻印するのである。この作業は鋳造職人の目と手の仕事になる。当然、銀の量は少しは違ってくるし、まん丸というのもそう多くは出来ない。しかも、コインの端には何の印もない。そのうち当然解ってきたことは、銀貨の端を削る（clip）ことが、極めて容易にもうかる仕事だということだった。エリザベスの時代になると、clipper は叛逆罪として極刑にされるという法律までできたが、もちろんこんなにもうかる仕事がなくなるわけはない。名誉革命の頃になると、イギリス人の手にする銀貨は、クラウン銀貨（５シリング）からシリング銀貨に至るまで、多少削られてないものはほとんどなくなっていたという。

もちろん名誉革命の頃になれば技術も進み、ロンドン塔の中に新しい鋳造所が作られ、完全に丸く、しかも縁（へり）に刻銘のあるコインができるようになった。こういうコインを hammered coin（鎚打ちコイン）に対して milled coin（縁にギザギザ印のついたコイン）と言う。こうした milled coin なら clipper のおそれはない。

ところが hammered coin も milled coin も同時に流通

することになったのである。それらは公的（税金等）にも個人取引にも区別なく受け取ることとされた。当時の偉い人たちは、新貨（milled coin）は旧貨（hammered coin）よりもすぐれているのだから、旧貨は消えるだろうと思っていたのである。ところが実際には逆で、「悪貨が良貨を駆逐した（Bad money drove out good)」のであった。良貨はいくら鋳造してもすぐに消えてしまって、取引きに使われることは稀であることがわかった。良貨はすぐに海外へ持ち出されたり、熔解されたり、退蔵されてしまう。流通するのは悪貨ばかり（江戸時代の日本でも同じようなことがありましたね)。政府は一朝に７人の男を絞首刑にし、１人の女を火刑にしたこともあったが、clipperたちの働きはますます活発になってきている上に、民衆も同情する。悪貨の悪化速度はますます激しくなって、1695年（ニュートンが鋳造所長になる前年）になると、イギリスでは物価を計る基準がおかしくなっていた。300ポンドは約1200オンスの銀であるべきなのに、実際には624オンスしかなかったという例もあったという。ニュートンにでも出てもらわなければ収まらない状況であった。（※　2006.6）

402. 通貨鋳造とニュートン

Newtonはcoin鋳造所のwarden（監督）として卓抜した管理職になった。

Newtonのような放心癖があるとされた学者が、銀貨鋳造所（mint）の責任者になるのは一寸不思議な感じがする。しかし当時は専門の経済学者（economists）というものがいなかったので、政府としては知恵を借りたい時は、ともかく有名な学者に声をかける、ということであったらしい。当時は学者と言えば、自然科学者（natural philosopher）でも人文学者（moral philosopher）でも、要するにphilosopherである。当時のイギリスの財務担当者（Chancellor of the Exchequer）Charles Montagu（後のEarl of Halifax, 1661-1715）は、英国銀行（the Bank of England）の設立者であり、削られた銀貨を集めて、作り直しをする（recoining）法律を通した財政家である。しかしhammered coin（手造りで周辺を削られやすかった銀貨）を集めて、削れない工場製銀貨（milled coin）に切り替えようとしたが、通貨は思うように出廻らず、すべての取引きに重大な支障が生じていた。それで有名な学者たち（philosophers）の知恵や協力が必要となったのである。この時、８人の知恵者・経験者が政府に招かれたが、その中にNewtonやJohn Lockeがいた。元来、MontaguもNewtonもケンブリッジ大学のTrinity Collegeの出身で、大学時代からの友人だった。これは1695年のことであったが、その８年前に『プリンキピア』を出版していたNewtonの権威は誰もが認めるところであった。

Newtonは名誉革命の前の頃、James Ⅱの手先となった悪名高き法官Jeffreysに、ケンブリッジ大学の８人の代表の１人としてロンドンに呼びつけられたが、不当な弾圧に対して勇気あることを示した。そのおかげで名誉革命後にケンブリッジ大学を代表する２人のうちの１人として議会にも出ている。またカトリックのJames Ⅱが王位を喪失していることを毅然として主張していた。彼がWhig党から好意をもって見られていたことは当然であった。

そして、1696年の３月末、Montaguからmint（coin鋳造所）のwarden（監督）の役を提供されるとNewtonは直ちに受諾している。そしてロンドン塔の城壁内の鋳造所の中にあるwardenの官舎に移り住んだ。Montaguにしてみれば、Newtonにこの役職を与えた時は、sinecure（名誉職）のつもりだったらしい。大学の旧友に年俸６、７百ポンドの恩恵を与えるのは友情のしるしである。しかしNewtonはwardenになったとたんに、卓抜した管理職になった。マコーレーの『英国史』の第21章は言う。「この偉大なるphilosopher（＝

Newton）の能力、勤勉、非の打ちどころのない清廉のおかげで、彼の指揮する部門に完全なる革命が起こったのである。」

Newtonがもう数年早くこの職にあったら、どんなにか国民は助かったことか、という声もあった。銀貨鋳造のスピードはめざましく上って、彼の就任２年半後には680万ポンドが鋳造された。これはその前の30年間に鋳造された全銀貨の約２倍である。国王 William Ⅲが大陸で戦争を継続する財政基盤もできた。またNewtonは地方の５か所に鋳造所を作るのにも働いたのである。

ところでmintにはwardenの上にmasterというのがあり、このmasterには鋳造する通貨からprofitと称する合法的ピンハネという収入があった。1699年、Newtonはその職を継いだ。その後27年間、Newtonの年間平均収入は約1,650ポンドであった。晩年の彼の面倒は姪のCatherine Bartonがみたが、彼女はMontaguの愛人でもあったので、Montaguから5,000ポンドのお金と、２万ポンドの不動産を与えられたという。Newtonは姪とMontaguの関係を黙認していたようである。

（※　2006.7）

403. ジェンダー・フリーなど

バリア・フリー、ジェンダー・フリーという言い方はドイツ語の影響であると思う。

ジェンダー・フリーということばが新聞や雑誌に現われてから久しいが、「そんな言い方は英語にはない」という意見もあった。私も自分の手に触れ得る限りの辞典で見たが、この言葉を採録したものはまだなかった。ところが〔先日〕、それが *International Herald Tribune*（Tues. May 2, 2006）に出ていたので報告しておきたい。筆者は language maven（ことば博士）として有名な William Safire である。その部分を引用してみよう。

"... 'you guys' is now sexless, or at least partly <u>gender free</u>, a grammatical manifestation of the new inclusiveness."「you guys（きみたち）という言い方は〔昔は男たちだけに向って使われていたが〕今では性を持たない。少なくともある程度ジェンダー・フリーである。これは〔男女の別を〕一緒にまとめてしまうという新しい傾向を文法的に示したものである」。

バリア・フリー（家の中などを、段差のある床にせず、老人や車椅子の邪魔にならないようにすることを指す）

ということばも相当普及している。バリア・フリーという造語法が一般的になれば、ジェンダー・フリーということばが作られても少しもおかしくない。

このような free という単語の使い方は、英語的でないと感ずる人も多いと思う。「障害がない、制約を受けない」という意味で free を使う時は、free from あるいは free of と教えられてきているからである。私はバリア・フリー、ジェンダー・フリーという言い方はドイツ語の影響であると思う。ドイツ語なら、-frei（= free）を名詞のあとにつければ free from（of）の意味になるというのは当たり前のことであり、特に熟語的に感じなくてもよい造語法だからである。ジェンダー・フリーならドイツ語では、geschlechtsfrei, genusfrei、バリア・フリーなら hindernisfrei, barrierfrei となると思うが、辞書には入ってないと思う。わざわざ辞書に入れなくても、誰でもできる造語だからである。

これに限らず、時々「これは元来ドイツ語式の言い方だな」と思う例にぶつかることがある。たとえば hopefully（= it is hoped, I hope）はドイツ語の hoffentlich を真似た言い方で、アメリカで用いられるようになったのは1930年代のはじめ頃からとのことである。*OED*（オックスフォード英語辞典）には、わざわざ avoided by many writers（〔この語を〕使わないようにしている著作家多し）とことわっている。ドイツ系の学者がアメリカの大学で使ったのが始まりらしい。そんな例を集めた記事を読んだことがあった。

ところで文法における new inclusiveness の問題である。われわれは guy という単語は fellow と同じく男をさす単語として教えられてきた。語源的には Guy Fawkes（1605年に議会を爆破して国王と議員を殺そうとした火薬陰謀事件＝Gunpowder Plot の主謀者）の名前であり、その人形（ひとがた）を焼く習慣が生じ、その人形がグロテスクなことから、むくつけき男を指すようになり、それがアメリカでは fellow と同義になったというのが今までの知識であった。ところが、the little guy というと「庶民」のことで、女性も「含まれる」ようになったというのである。この「含まれる」という感じが inclusiveness という文法用語で示されている。元来「庶民」の男は John Q. Public, Joe Sixpack, the little man, the common man などと言われていた。しかし女性を "the little woman" と言えば、昔から「可愛い」という意味が中心になる。女性が社会進出し、男同様に「庶民」としてくくられる時に、guy という最も男らしい単語が使われるのは皮肉と言うべきか。

（※　2006.8）

404. totipotent と進化論

すべての細胞は「分化全能性」

「全能の」を意味する omnipotent という単語はよく知られている。これはラテン語の omnis, e（すべての）に、同じくラテン語の potens, entis（能力ある）をくっつけたもので、すでにラテン語でも omnipotens, entis（全能の）という合成語があった。ところがラテン語には「すべての」を意味する単語として omnis, e のほかに totus, a, um という単語がある。しかし totipotens という単語はラテン語にはない。ところが英語にはあるのである。しかし totipotent という英単語を知っている英文科の出身者に私はまだ会ったことがない。そういう私も偶然の機会に知ったのであるが。『ジーニアス大英和』の totipotent の項目には「(生物）分化全能性の《動物の細胞について分化して新しい個体・組織・器官など形成できる》」とある。他の英和辞典でも、totipotent は「分化全能の」と訳することになっているらしい。つまり omnipotent はただ「全能の」なのに、totipotent は「分化全能の」なのである。

この単語の初出は *OED* によれば1901年の T. H. Morgan の論文ということになっており、1909年の J.

W. Jenkinson の著書までの例文があげられている。しかし1933年の第一次 Supplement（増補巻）では取り上げられておらず、1986年の第二次増補の第４巻で再び取り上げて1979年の科学雑誌までの用例を引いている。これを組み込んだのが *OED* の第二版である。

では「分化全能性」とは何であろうか。専門家以外は理解が困難な概念であったが、イギリスでクローン羊のドリーが出てきたことで解り易くなった。動物は１個の受精卵から成長してその動物の全体が出来るというのが常識であったが、どの細胞にも、その動物全体になる能力があるというのである。乳のあたりの細胞１個から、完全なクローン羊が出来たのはそのせいである。理論的には私の髪の毛からも私のクローン人間が出来るとのことである。ところが私の髪の細胞や皮膚の細胞は、私のクローン人間にならずに私の髪になり、私の皮膚になる。なぜかというと、髪の細胞は、髪になる能力だけを on にして、他の能力を off にしたままにしておくからである。つまり、totipotent な細胞も、unipotent（一つ方向にしか分化しない）になってしまうからである。

すべての細胞は totipotent であるが、実際は unipotent になるのが自然である。われわれの場合、母胎内の受精卵だけが totipotent であり、その受精卵が成長するということは、その後各細胞が unipotent になってゆくことである。これはすでに J. W. Jenkinson が1909年に a progressive loss of totipotentiality of the parts（各部分が漸進的に分化全能性を失うこと）を指摘している。

この totipotentiality の本質がクローン羊などで明らかになった結果、進化論にも重大な影響が及んでいる。世界的な実験進化学者の西原克成博士が指摘するように、遺伝形質はそのままで、獲得形質が遺伝してもよいということになるからである。分化全能性のうち、どの部分が on になるかの話になって、遺伝形質の問題は別次元の話になるのである。つまり進化論におけるラマルクの主張、即ち「用不用説」が学問的に復活したのである。西原博士のことばをひいておこう。

「つまり用不用とは、器官の遺伝子の機能発現〔on になること〕のことだったのである。そして引き金となる物質（物理的・化学的刺激）さえ次代に伝われば、同じ遺伝形質のまま、形と機能の変化を代を隔てて、生殖によって伝えることができるのである。」（『追いつめられた進化論』p.53）するとダーウィンとも矛盾しないのではないか。（※　2006.9）

405. スコットランドの教育

どうしてエディンバラを中心として、こんな世界的な大学者たちが出たのだろうか。

〔今から25年〕ほど前、私は家族と共にエディンバラで１年過ごした。これは大学からサバティカル（長期休暇）をいただいて出かけたのであるが、これにはスポンサーもついてくれた。それは「18世紀にスコットランドの文化が急に花開き、エディンバラが“北のアテネ”といわれるようになった理由は何か、ということと、余暇との関係を考えてくれ」という主旨のものだった。その頃、家族５人の飛行機の往復代がタダで、年間一千万円の研究費というのは破格であった。別のスポンサーが当時売り出して間もない日産のローレルの新車を１年間無料で貸してくれた。ちょうど私は大修館書店の「英語学大系」のために、イギリス（スコットランドを含む）の言語学の歴史を調べ始めていて、18世紀のスコットランドに異常なほど業績が出ていることに気がつき、ぜひ現地に行って調べたいと思っていたので、いわば渡りに舟だった（この部分の研究は、「英語学大系」の中には入らずじまいだった）。

われわれは日本の大学で、ロンドンからの視点でスコットランドを見ることを当然としていたのだが、スコットランドでスコットランドやイングランドを見ると全く別の様相を示すことを実感した。English ... というと、すぐに British ... と訂正された。スコットランドの銀行はそれぞれ自分の銀行の銀行券を出していた。スコットランド人が書いたアダム・スミスやデイヴィッド・ヒュームの同時代史は、「イギリス人」が書いているのとはまるで違う。そして不思議なのは、どうしてエディンバラを中心として、こんな世界的な大学者たちがたくさん出たのだろうか、ということであった。ソ連の解体を最も強力な論理で予言したハイエク（ノーベル経済学賞受賞者）に、その基本となる思想を与えたアダム・ファーガソンもその頃のエディンバラにいた。常識哲学のトマス・リード、その弟子のドゥーガルド・スチュワートなども同時代人だ。そのほか６巻にもなる言語起源論を書いたモンボドウ卿ことジェイムス・バーネットなどなど、注目すべき人がそのほかにも多数いるのである。何よりもあの『ブリタニカ百科辞典』がこの頃エディンバラで出版されていることこそ、この町の文運を示す象徴である。

どうして肥沃でもない土地の一都市に、高い学識の花が爛漫という感じで咲き出たのであろうか。当時のエディンバラの人口は東京のベッドタウン都市ぐらい、あるいはそれ以下であった。当時読んだ本の中には、スコットランドの学校制度が優れていたからだ、ということがあったが、その起源については書いてなかった。ところが〔最近〕マコーレーの『英国史』で名誉革命直後のごたごたさわぎの話を読んでいたらこんな記事があった。1696年（徳川五代将軍綱吉の時代の元禄９年）の秋に、短期間エディンバラ議会が開かれた。本来ならばどうということのないことであったが、何かのはずみで「学校設置法（the Act for the Settling of Schools）」が通過したのである。これはスコットランドの各教区は適当な校舎を作り、教師にはそこそこの報酬を払うべし、ということだった。効果はすぐに出なかったが、一世代も経つと、つまり18世紀初頭をすぎるとそれが明らかになった。マコーレーは言う。

「一世代も経たないうちに、スコットランドの庶民はヨーロッパのどこの国の庶民よりも知力がすぐれていることが明瞭になった。スコットランド人はアメリカだろうがインドだろうがどこに出かけて行っても、また軍隊だろうが商業だろうが、どんな職業についても、幼少の頃に受けた教育のおかげで競争者に勝った。商店に小僧で入ってもすぐに番頭になり、軍隊に入ってもすぐに上級下士官になった」。一方、その頃のスコットランドでは魔女狩りをやって、22人の老婆を捕えていたのである。

（※　2006.10）

406. 独立とお金の関係
——スコットランド議会の話

オランダの王様がやってきたのを機会に、議会の独立を放棄してロンドン議会に吸収されることを望んだ。

北海油田の成功はイギリスにとっての福音であった。産業革命が石炭というエネルギーで実現したとすれば、20世紀と21世紀の文明は石油で支えられることが明白と思われていたからである。イギリスには石炭があった。それでイギリスは産業革命の先進国になった。ところが石油はイギリスからは出なかった。この点でイギリスと日本というユーラシア大陸の両端にある島国は似ていると言えよう。日本も明治維新後に急速に近代産業化した１つの理由は石炭があったからである（日本の財閥が急成長したもとになった原因としては、清国に対する石炭の輸出があった）。石油となると事情が異なる。イギリスの本島には出なかったが、イギリスは中近東を抑えていた。日本は石油も出ず、また石油の出る植民地もなかった。石油問題が日本を大戦に追いこんだ主因であることは昭和天皇の『独白録』でも、東條英機被告の『宣誓口述書』でもマッカーサー元帥の上院軍事外交合同委員会の証言でも明らかである。イギリスも油田地帯への支配権を失った。植民地を大戦の結果失ったイギリスは、日本と同じく資源小国になってしまったのであった。こんな時に北海油田発掘に成功したのだからイギリス人が喜んだのは当然である。

それとともにスコットランドにDevolution Movement（イギリス議会からの独立運動：DM）が起こった。私はちょうどその頃エディンバラに住んでいたので、その地の新聞を読んでスコットランド人たちの歴史的怨念みたいなものを覗き見たような気がした。スコットランドはイングランドと戦い、独立を確保したという輝しい歴史があった。William WallaceやRobert Bruceの名前は今でもスコットランド独立の英雄として記憶されている（その映画も人気があった）。イギリスのプランタジネット王朝やテューダー王朝の強力な王たちもスコットランドを屈服させることはできなかったのである。スコットランドを武力征服したのはピューリタン革命をなしとげたOliver Cromwellである（1651）。エディンバラ議会も軍隊で潰されてしまった。その後Charles Ⅱの王政回復（1660）があり、スコットランドはまた独立したスコットランドにもどった。

その後1世代も経たないうちにいわゆる名誉革命（the Glorious Revolution, 1688-89）が起こって、イギリスの王様はオランダからやってきたWilliam Ⅲになる。この時のスコットランド議会がまことに面白い。イギリスからの独立に12世代にもわたって強いプライドを示してきたスコットランド人たちが、独立を放棄して、イギリスと一緒になりたいと運動し始めたのである。その結果が1707年の the Union、つまりイギリス議会とスコットランド議会の合同、実質的にはエディンバラ議会がロンドン議会に吸収されてしまったのである。

合同推進の理由は「独立」とか「名誉」とは反対の「利益」であった。Cromwell はスコットランドを完全に武力征服したが、ロンドン議会にスコットランド代表の席を与え、通商に関してもイギリス人と同じ待遇を与えたので、イギリス統治の下でスコットランドは物質的に繁栄したのだった。ところが王政回復でスコットランドも独立回復すると、新航海条令によって経済的に大打撃を受けることになった。それでオランダの王様がやってきたのを機会に、議会の独立を放棄してロンドン議会に吸収されることを望んだのであった。

それから約250年経ち、北海石油が出た。これはスコットランド沖である。それで再びイギリス議会から独立しようというのが DM なのであった。ところが北海油田に近いオークニイ諸島やシェットランド諸島の住民がロンドン議会と女王を選択したので、あの Devolution 運動は泡と消えてしまった。（※　2006.11）

407. James Bond の作者は古本好き

フレミングの巨富の使い道の１つが初版の蒐集であった。

イアン・フレミング（Ian Lancaster Fleming, 1908-1964）と言えば、007ことJames Bondが主人公のスパイ小説の作家として有名である。米ソの東西冷戦が厳しかった頃、彼のスパイ小説、それをもとにした映画は世界の人を魅了した。彼が生きている間に売れた部数は3千万部、さらに死後２年にしてその倍の部数が出たという。それを映画化したEon Productionsの売上げは３兆２千ドル、利益は400億ドルというからまさに天文学的である。ボンド物の人気の理由はスパイ物語という筋の面白さの他に、特別贅沢なクラブとかレストランとか、誰でも行ってみたい美しいリゾート地、思いがけない新兵器、それにセクシーな主人公に、グラマーな女主人公などが登場することであろう。つまり読者に、また観客に夢を売ることができた。

このボンドは驚くほど作者のフレミングの経歴や体験と重なるところが多い。彼の父は大金持の銀行家で保守党の議員であった。ロンドンやオックスフォード州にある豪邸で贅沢な暮らしをしていた。第一次大戦前のイギリスと言えば富強の頂点にあった時代である。彼の父は第一次大戦で名誉の戦死をとげるが、家は貧しくなったわけでなく、母は美人で派手好きであった。フレミングはイートン校に進むが成績は振わない。ただスポーツは抜群で victor ludorum（最高殊勲選手）に２年続けてなっているが、こういうのは他に一例あるだけだそうである。ボンドの運動能力はその反映と言えよう。兄は秀才でイートンからオックスフォードに進学するが、彼は学校の雑誌などやっていて大学向きでないと見た母親のすすめで陸軍士官学校に入った。しかし軍律に従うことは性に合わず任官はしなかった。彼のその後の教育はオーストリア、ドイツ、スイスなどで私的に行なわれるが、特に重要なのは、もとイギリスのスパイで後に教育者に転じた男にオーストリアで教育を受けたことである。またこの男の妻は小説家であったので、フレミングの言語能力が開花し、また文学にも目を開くようになった。同時にアルプスに登り、スキーもやった。この頃彼はプレイボーイとして知られていた（ボンドのイメージ）。

外交官試験は落ちるが、そこは階級社会のイギリスで、コネがきく。ロイター通信社に入ったり、銀行に入ったり、株屋の仕事をした後、ジョン・ゴッドフリー提督の私設助手として、海軍情報部に入る。ここで彼は水を得た魚のようになった。スポーツマンとして、プレイボーイとして、また育ちのよさからくる豊かなコネを持つ感じのよい若者として、また言語能力の高い青年として高い評価を得る。また情報関係の本務にもすぐれた能力を示したので、出世が早く海軍中佐となった（陸軍士官学校の落ちこぼれが、どうして海軍の高級将校にスムーズになれるのか、その組織のあり方は私にはわからないが、明治時代に陸軍中将の西郷従道が海軍大臣、海軍大将になったような融通性がイギリスにあるのだろうか）。そしてこの前の大戦ではルーズベルト側の情報将校と協力して対枢軸国の諜報戦の最高機密に参加する。アメリカがCIAを作るお手伝いまでしている。彼のスパイ小説は他の人には書けないわけだ。

元来が富裕なフレミングは著作でも巨富を得た。その使い道の１つが初版の蒐集である。ロンドンで1963年（東京オリンピックの前年）に開かれた「印刷と人間の精神」と題された展示会では、彼の蔵書がその中心であった。また1952年創刊の bibliophiles（愛書家・書物道楽家）の季刊誌として重要な *The Book Collector* の最初からの中心的な人物で、それへの財政的支援も惜しまなかった。彼は the Queen Ann Press という‘small, pretty books’の出版社の大株主でもあったのである。

（※　2006.12）

408. 書物に憑かれる

一生かかって集めた本と対面しつつ死ぬのはそれこそ「本」望というものではあるまいか。

グーテンベルクが聖書を印刷してから約550年経った。しかし、印刷の未来に対して暗い予測が出てからすでにだいぶ経つ。エレクトロニクスの時代には、印刷された活字本などは消えゆく運命にあるとの予言もどこからともなく聞こえてくる。あの *OED* も CD-ROM に入るとなれば、図書館だってマイクロチップに入るだろう。かつて私の本を何冊も作ってくれた編集者もそっちの方に行ってしまった。そんな時節に、しかも古稀を目前にして私は思い切った書庫を建てることにした。明らかな愚行である。

しかし私は考え抜いたのだ。〔今〕ある書庫と書斎は本に溢れている。昔なつかしい本も、本のかげにかくれている。あそこにあの本があることがわかっていても、取り出すためには一朝をつぶさなければならない。となると当然億劫になって、当るべき本に当らないでしまうことになってしまう。本の方から見ても、昔はよく手に取ってもらったのに、ここ何年間も御主人様の顔も見えないのでは寂しいのではあるまいか。こうした状況に本を置いたままで死ぬのはfoolishだと思う。

ところが、すべての本と再び対面できるような書庫を作るとなると資金がいる。今まで住んでいる家も銀行の抵当に入れ、これから建てる書庫も銀行の抵当に入れて借金することになる。古稀に近い老人が老後の蓄えを使い盡すどころか、すべてを無くする危険を冒して借金して書庫を作るのはfoolishでもある。

どっちにしてもfoolishである。ではどちらがless foolishかと考えたあげく、私は全蔵書と対面可能な状況の下で死ぬ方がless foolishであると結論した。子孫のために美田を残さないと西郷南洲も言った。借金が払い終わらずに死んでも銀行は迷惑しないようになっている。一生かかって集めた本と対面しつつ死ぬのはそれこそ「本」望というものではあるまいか。本の方からみてもそれが「本」望のはずだ。

ところで、本に対するこのような執着はどこから生ずるものなのだろうか。活字で印刷されたものにはどうしてこんな魅力があるのだろうか。それは私だけでなく、友人、知人にもそういう人がいる。数年前Dale Salwak編で出た*A Passion for Books*（Macmillan, 1999. xviii +208pp）には、私と同じような本に対するpassion（fetishといってよいだろう）を持った人たち19人のエッセイが収録されていて共感した、あるいは同病相憐れむ気持ちになった。この本の最初の部分から、いくつか狐憑きならぬ「書物憑き」のことばを拾ってみよう。
「憑かれたような読者にとって、読書は人生である」
「私が本と恋愛してなかった時を憶い出すことはできない。本自体も、カバーも、装丁も、印刷されている紙も、その匂いも、その重さも……」
「無邪気に始まった読書も、私の人生に浸透し人生を変えてしまった。読書は人生の代りにはならなかったけれども、人生と化合して切り離せなくなってしまった。ちょうど水素と酸素が化合して水となるように」
「グリニッジ・ヴィレッジにいた頃、本はわれわれの天気であり、環境であり、衣服であった。われわれは本を読んだだけではない。本になってしまったのだ…本はわれわれにバランスを与え、落着かせ、重力を与えてくれた」
「多くの楽しい本は、私自身の人生から私を連れ出し、誰かほかの人の人生に連れて行ってくれた。この移行の恍惚感は、私が大人になり、本というものをより深く読み、理解し、鑑賞できるようになってもずっと離れなかった」
　こんな読書の喜びが、英語の本を読むことにあることを、生徒に伝えるのも英語教師の役割ではないかと思うのだが。（※　2007.1）

409～410. 語源研究と iconic expressions

擬音や音象徴が語根になっているような単語に関しては、印欧語と日本語が似ている場合でも、どちらかからの影響あるいは借用だと考えることは必ずしも必要でない。

語源研究の基本となるものには擬音（onomatopoeia）とか音象徴（sound symbolism）とか幼児語（lull-words < G. Lallwörter）などがある。擬音語はそのまま音を真似て作った単語で、cuckoo（郭公）とかhiccup（しゃくり）などがこれに当る。音象語は flash（ひらめき、閃光）とか flicker（ちらちら明滅する）というような単語で、音を真似ているのではないが、そんな感じが象徴的に示されるようなものである。幼児語というのは papa とか mama とか幼児が言うことばである。以上の３種類が、語根創造の基本と考えられている。あとはその派生や合成でいくらでも単語を作ることができる。たとえば mama は「母」であり、幼児にとってもっとも重要な母の属性は乳房である。したがって mama から派生した単語も厖大な数になる。たとえば mammal は「哺乳動物」であり、mammectomy は、「乳房切除

手術」というが如くである。

ところが〔最近〕、言語学に icon とか iconic という用語が現れるようになった。元来イコンというのはビザンチン美術に特徴的な、キリストや聖母や聖人を板絵にしたもののことを指していた。語源的にも icon はギリシャ語の eikṓn（= likeness, image）である。これが言語学では「図像語」とか、「類似記号」と訳されて、「幾何学的図形のように指し示される対象に類似している記号」（研究社『英和大辞典』）とか、「擬声語のように表す語や記号が表されるものと一致していること」（大修館『ジーニアス英和大辞典』）という定義が与えられている。

語源学的には「幾何学的図形のような…」という『研究社大英和』の方は一応関係ないとして、「擬声語のように…」という『ジーニアス大英和』の方が重要である。具体的にどういう場合に iconic という単語が言語の研究に使われているのだろうか。その最適の例として、*Dictionary of Iconic Expressions in Japanese: Trends in Linguistics Documentation* 12（Berlin & New York: Mouton de Gruyter, 1996. vol.1 & vol.2 xi + 1,431pp）がある。編者は H. Kakehi, I. Tamori, L. Schourup である。これは実に感嘆すべき労作であって、英語研究者にとっても、日本語研究者にとっても必携の辞書であろう。たとえば dorodoro という日本語を使った文章「排水管を掃除すると汚い水がどろどろと流れ出して来た」に、

"When I cleaned the drainpipes a lot of gooey muck flowed out" という訳が与えられている。この調子で「ガチャガチャ」「ゴチャゴチャ」「グズグズ」などの日本語特有の表現に、英語訳が与えられている。つまり「ガチャガチャ」「グズグズ」「ノロノロ」というような日本語の言い方がiconic expressionsなのである。これには「ガチャガチャ」のような擬音もあるが、「ノロノロ」は擬音ではなく、音象徴に近いであろう。その擬音も音象徴も合わせたものがiconic expressionsということになる。そうすると日本語の特色としてiconic expressionsにすこぶる富むことがあげられよう。

われわれの学会では、それまでの英語やドイツ語の語源研究の立てた柱のほかにもう1本の新しい柱を立てることにしている。それは「人類の脳の構造は、人種によって本質的に異なるとは考えられないので、擬音や音象徴、つまりiconic expressionsが語根になっているような単語に関しては、印欧語と日本語（漢語でもよい）が似ている場合でも、どちらかからの影響あるいは借用だと考えることは必ずしも必要でない」という原則である。この原則を立てると、英語の語源研究にも偉力を発揮することを次に紹介させていただくことにする。

（※　2007.2）

(2)

最近の論文で音象徴語に関するものとしてWilliam Rothwellの“The Problem of the English *Dribble, Drivel, Drizzle* and *Trickle*: the Role of Semantics in Etymology”（*Anglia* 123, 2005）がある。これらの単語はどことなく似た意味をもっている。すなわちdribbleは「したたる」、drivelは「よだれや鼻水をたらす」、drizzleは「霧雨のように降らせる」、trickleは「点々としたたる」である。このほかに*OED*²ではobs（廃語）とされている単語にdrib（一滴一滴落ちる）という単語があって、こんな説明がつけられている。

「おそらくdripかdropから生じた擬声的造語で、語尾が〔pからbに〕変わったのは、運動の変化を示したものであろう」

これをRothwellは「ちょっとオカルトな言い方」と言っており、「dribble, drivel, drizzle, trickleがどのように関係しているのかは、今の時点では完全には解らない」としている。

このRothwellの論文に関して、織田哲司氏（東京理科大助教授）は「語頭音dr-の音象徴再考：drive, draw, drip, dropなど」と題して、〔今年度〕のイギリス国学協会で発表を行った。織田氏の研究は、Rothwellのものよりも、はるかに視野も広く、深い洞察を含むもので、iconic expressionsを多く含む言語である日本語を知っている研究者は、欧米の研究者よりもすぐれた「英語の」語源研究をなしうることを示して興味深い。そのいくつかの視点を紹介してみよう。

「落ちる」という動作で粘性が大きい例としては、「ペンキがだらっと垂(た)れてシャツを汚してしまった」という文は、'a large *drop dripped* on his clothes' となる。

これが比喩的に用いられて、「お世辞たらたら」は '*dripping* with flattery' となる。また「堕落」した感じを示す「デレーッとした感じで」という日本語は '*drooping* laxity' で示される。

「泥」のように粘性の高いものに「とりもち」などがある。その粘性に関しては「引っ張る」という動作が関連してくる。物理的に「引っ張る」例文として、「家の中から大きなマットレスをぞろぞろ（と）引っ張って出てくる…」は '*dragging* a big mattress out of the house' となる。「引っ張る」のは物理的なものとは限らない。時間的に「引っ張る」こともある。例えば「社長の訓示はだらだら（と）長いばかりで」は、「The company president's admonitory speeches are just long and *drawn* out …」と訳されている（以上の日本語の英訳文は先に紹介した *Dictionary of Iconic Expressions in Japanese* から取ったものである）。

いずれにしろ dri- や dra- を頭語にした単語の根には「どろっとしたもの」という象徴があるようだ。日本語の「どろっとした」というのは明らかに「泥」から出ているから、音象徴としては、あるいは iconic expressions としては、印欧語でも日本語でも同じだったことになる。人間の脳は人種によって変わっているわけではないから、似たような iconic expressions が出ても不思議はない。日本語の方が「どろどろ」とか「だらだら」とか、iconic な形がきわめてわかりやすく使い続けられているわけである。古英語で drēoriy（ドレーオリ）（bloody, blood-stained）という単語に *Beowulf* の中で出会った時、「血みどろの」とか「血まみれの」という日本語を思いついたものだったが、これは印欧祖語の※dhreu-（落ちる）と同根の※dhrous-（血）から出ている。血は単に流れ落ちるもので、それは「どろり」としたものである。英語も語根に近づくほど日本語の語感で「解かる」気がするのである。

（※　2007.3）

411. My Fair Lady の教育

発音や文法を核とする話し方を学ぶうちに、強い自我と意志が芽生えた。

オードリー・ヘップバーンとレックス・ハリソン主演の映画 *My Fair Lady* は記憶に残る名映画であった。これはバーナード・ショー（G.B. Shaw, 1856-1950）の原作 *Pygmalion*（1913）をもとにしたアラン・ラーナー脚色、フレデリック・ロウ作曲のミュージカル・ドラマの映画化であることはよく知られている。この中でイギリスの階級方言がテーマにされているので、日本の観客にも「発音と階級」という問題がイギリスでどうなっているかが分かって興味深かったと思う。筋は音声学者の Higgins 教授が、花売り娘の Eliza のコックニーcockney（ロンドン East End〔庶民階級が住む地域〕の地域・階級方言）の発音を矯正して lady に仕上げる話である。*Pygmalion* という原作名は、ギリシャ神話でキプロス島の王 Pygmalion が、自ら象牙で作った女人像に恋した話から来ている。Higgins 教授は自分が発音を矯正してレディに仕立てた Eliza に恋してしまうからである。

この発音矯正のやり方が面白く「Higgins 教授のモデルは Henry Sweet である」などと当時言われていた。

原作者ショーの頭の中には当時新しく起っていた音声学の学者ということでSweetがあったかも知れないが、Sweetがあんな立派な書斎を持っていたとは思えない。あれは映画の中で、Higgins教授の階級を上流に見せるためであったと考えられる。題名の*My Fair Lady*であるが、これはロンドンのタクシーの運転手に、コンノート・ホテルに連れていってもらった時に説明してもらって納得した。このホテルはMayfair地区にある。このあたりはハイド・パークの東側で高級住宅地であった。Mayfairはメイフェアと発音する。ElizaもはじめMy Fair Ladyのマイフェアをコックニー訛りでメイフェアと発音したのである。その発音を矯正してマイフェアと発音できるようになったので、メイフェア地区に住むレディにふさわしくなった、という洒落なのだそうである。ロンドンの人にはピンとくる話だろうが、Mayfair地区の意味がわからない人にはわからない話だ。

劇作家ショーはFabianism（漸進的社会主義）を主張していた。彼がこの劇で示したかったことは、発音の差がイギリスの階級差になっているのみならず、階級差を作る原因になっている事実であったと考えられている。同時に、このことによってショーは「社会格差というのは、この程度のものですよ」と皮肉で示したかったのだという。

ところがさらに一歩踏みこんだ解釈を私は〔最近〕のイギリス国学協会の発表で聞いて感心した。発表者は池田真氏（上智大学准教授）で「『ピグマリオン』におけるイライザの文法と自立」と題するものであったが、要旨は次のようなものである。

Eliza は Higgins 教授の下で、発音を直されたと同時に、文法も直されているのだ。これは映画を見るだけではわれわれには把握しにくいことであるが、脚本のテキストの分析でそれが明らかに示されている。花売り娘の Eliza は発音を矯正され、文法も矯正されているうちに、知的に目覚めて個人として自立的な自覚が生ずるが、これと対照的なのは彼女の父親アルフレッドである。彼は貧しい労働者であったが、アメリカの慈善家と出会って巨額の遺産の一部をもらい、資産的には中流階級になる。しかし経済的状況が変わっただけで、本人の精神や品性は同じである。そこで池田氏はこう結論するのである。「イライザは、発音や文法を核とする話し方を学ぶうちに、強い自我と意志が芽生えた……イライザの内面的成長は標準文法の習得と軌を一にしている。規範文法には、社会における一定の地位…や扱いを担保する働きの他、個人の人間性を育てる側面もあるのではないだろうか」と。（※　2007.4）

412. Man of Letters——ミルワード先生の自伝出版に思う

文学研究の目的がPh.Dということになると、scholarはできても、man of lettersができなくなる…。

上智大学のミルワード先生の自伝が出版され、その記念会が2月3日に催された。先生はオックスフォード大学で古典学を修められた後に英文学、特にシェイクスピアを専攻された方で、現在の世界のシェイクスピア学界のリーダー的学者の1人でもある。私は幸にも同僚として、また一個人として長い間おつき合いしてきたので、彼を単なるscholar（学者）として見るよりは、man of letters（学者的文人）として考えたいと思っている。

よき時代のイギリスには——ヴィクトリア朝やエドワード朝や第二次大戦前の戦間期——man of lettersという、今ではほとんど呼ばれることのない種類の人たちがいた。このことばは元来、homme de lettres（文学者）というフランス語から来た。*OED*の初出は1645年である。元来は「学問のある人（man of learning)」という意味であったが、単なる学者ではなく、「物を書く人」という意味も加わった。「書く」と言っても小説を書くとか、今日風の学術論文を書くのではなく「学問を背景にした読み易い文章を書く」ということになる。そういう文章は具体的にはエッセイであり、エッセイ風の文学評論や伝記的文章や歴史論などである。私はこの man of letters という呼び名を見ると、Virginia Woolf（1882-1941, *Mrs. Dalloway* などを書いた女流作家）の父の Sir Leslie Stephen（1832-1904）をすぐに連想する。彼はかの *Dictionary of National Biography* の編集者であるが、すぐれた Essays をも残している。これを読んだ時、「こういう人が man of letters と言うんだな」と強く印象づけられた。

その頃のドイツにも凄い学者は沢山いた。しかしそれは大学者であっても man of letters という感じではない。ドイツの大学は今日の Ph.D に相当する学位を与える論文を若い学徒に書かせる制度を設けた。その制度がアメリカに輸入されて普及し、イギリスにも日本にも入ってきた。オックスフォードでの私のメンターであったドブソン教授は D.Phil（アメリカの Ph.D）であったが、「この学位は新しいもので、自分はその最初の頃の例である」と言っておられた。理科系や医学系などで Ph.D を取るのは結構だが、人文学（humanities）で Ph.D が普及するのはマイナスの作用があるのではないかと私はこの頃思うようになった。文学研究の目的が Ph.D ということになると、scholar はできても、man of letters ができなくなるのではないか、という気がするからである。

前世紀の初め頃にオックスフォードでシェイクスピアを講じた学者が２人いる。１人はA.C. Bradleyであり、他の１人はSir Walter Raleighである。私は大学院の時にBradleyの*Shakespearean Tragedy*のレポートを恩師に命ぜられて、丁寧に読んだが、その緻密な論証ぶりに「参った」という感じがした。あとで考えると、文学に対するこういう考証の仕方が、現代の英文学研究の論文の源流になっているような気がした。これに反して、Raleighの方はman of lettersの書き方である。時代はそんなに違わないのに――Raleighはリバプール大学とグラスゴー大学ではBradleyの後任であった――文学研究に対する態度がまるで違う。「切り口」が違うのである。Raleighはシステマティックな研究を嫌い、文学のacademic studyを嫌った。２人とも大学者なのに、雰囲気が違うのである。

そこでミルワード先生にもどるが、先生はオックスフォードの２人のシェイクスピア学者の先輩のうち、Raleighに似ているように思われる。エッセイを沢山書かれているが、エッセイを書く学者は、今の英文学者の間でもvanishing species（絶滅危機種）になっているのではないだろうか。（※　2007.5）

413. Christmas がクライストマスではないわけなど

印欧比較言語学——最も体系的で最も精密な語源論。

英語の語源物語の本もいろいろ出ている。しかし多くは個々の単語の起源の話で、面白い知識にはなるが、学問という感じがしない。日本でもそうした語源の話の本は多く出ているし、テレビのクイズにもなる。

では学問的な語源論とは何か、と言われれば、その典型的なるものは印欧比較言語学である。これは最も体系的で最も精密な語源論と言ってよいであろう。この学問の本場であるドイツには、英語の語源の本でも、学問的、つまり比較言語的なものがいろいろある。特に語根形成に関する分野、擬声音（onomatopoeia）や音象徴（sound symbolism）に関するもので面白いものが多い。ところが〔最近〕、この分野にも目配りの利いた英語の語源の本 *Word Origins ... Etymology for Everyman*（Anatoly Liberman, OUP., 2005, vii +312pp.）を紹介された。

この本は表題にもあるように'for Everyman'であるから、つまり啓蒙書である。しかし著者は長い間、語源辞書の作成に関わっているだけあって〔その辞書は未完[※]〕、文献については驚くべき博捜がなされていて、注も実に充実している。注は、一般読者は読まなくてもよいだろうが、研究者にはありがたいものである。本書に取り上げられている単語のリストは巻末にあるので、教室で学生たちに話してやったらよさそうなものも多い。

この著者の特色の一つは、今時珍しく戦前のドイツ語の文献をよく読んでいることで、そこから純粋に言語学的な法則をも紹介してくれている。それは英語をやっている学生にはきわめて有益である。その一例がChristが［kráist］クライストと発音されるのに、Christmasはなぜ［krísməs］クリスマスなのかを、音韻法則的に説明していることである。福音書gospelの語源がgood spell、つまりgood news（文字通り「福音」）であること、gosling（鵞鳥の子、青二才）の語源がgooseに-ling（指小辞）がついたものであること、husband（夫）はhouse + bandであったことなどは、語源の説明のある辞書をひけばすぐわかることであるし、またholiday（祭日）がholy（聖なる）とday（日）の合成語であることは、中学生でもカンのよい子ならわかるかも知れない。

ではChrist + mass（聖餐式）とgood + spellと、house + bandとholy + dayの共通点は言語学的〈音韻論的〉に何か、ということになる。これらの語の構成要素をそのままくっつけてみよう。そうするとChristmass, goodspell, gooseling, houseband, holyday

となる。Liberman 氏はこうした構成によって前の要素の母音が短縮する例を、disguised compounds（変装した合成語）と言っている。

この変装の仕方にもいろいろある。Christmass の場合、古英語・中英語では cristes mæsse となっており、この場合 cristes［kri:stis］はクリーステスと［i:］がのびている。これが［ai］になるのは15世紀の母韻大変化（主音節の［i:］は［ai］になる）による。この現象は、like［láik］が元来は［li:k］であり、I［ai］が［i:］であったのと同じものである。

一方、holyday の方は、３音節の場合、最初の母音が短くなるということによる。また goodspell の方は、２子音連続の時、つまりこの場合 d ＋ s の前では短くなるという一般現象によるものである。つまり godspell になり、さらに d が落ちて gospel になった。この場合 god ＋ spell と分解してはならない。それでも意味は通ずるのだから誤り易い。あくまでも good-spell（福音＝よいニュース）なのである。鵞鳥の子の gosling は、s ＋ l という二重子音の前で goose［gu:s］が gos［gɔ:s］になった典型的な例である。こんな話は昔の英文科生は喜んだものだが、今ではどうだろうか。（※　2007.6）

※ 2009年に出版。Anatoly Liberman, *A Bibliography of English Etymology: Sources and Word List*. Minneapolis, MN: University of Minnesota Press.

414. *DNB* から *ODNB* へ ―Lord Lytton の場合―

イギリスの３大辞（事）典というのがある。１つは英語大辞典で *Oxford English Dictionary*（*OED*）。これは英語をやる人にはよく知られている。もう１つは *Encyclopaedia Britannica*（ブリタニカ百科事典）である。もっともこれは14版からは英米共同企業となり、その後はアメリカの事典になった。３番目が *The Dictionary of National Biography*（*DNB* イギリス人名辞典）である。明治の日本人の目にすぐついたのは『ブリタニカ』であった。明治の偉い人たちは、何でも欧米先進国に追いつこうとしていたから、百科事典でも頑張ることになった。そして戦前に三省堂の百科事典が出たが、これは見事なもので、古本屋で見かけたらお買い得品だ。ただ仮名遣いが昔のものだから、今の人にはひきにくいところがある。

国語辞典ではずっと遅れて、戦後になって小学館から大辞典が出たが、これは *OED* に及ばざること遠かった。ようやくその第２版になってほぼ *OED* の水準になった。ただ使い易さについてはもう一工夫が必要で、*OED* をひき慣れた人のアドバイスが必要であろう。

第三の人名辞典になると日本のものは *DNB* の足もと

にも及ばない。*DNB*は１冊千四、五百ページ（16×24cm）のものが21巻と補遺１巻で19世紀末まで。あとは10年毎に千数ページのものが８冊続く（1901年－1911年のものは二千ページを超える）。1981年からは５年毎に２冊出て、さらに補遺版が１冊加わる。日本の人名辞典がいかにpoorであるかすぐわかる。ところがイギリスはさらに抜本的な改訂増補版を〔数年前〕にOxfordから出した。これが*ODNB*で、実に61巻ある。

〔この頃〕の楽しみの一つは、*DNB*と*ODNB*で同じ人間のことをひいてみることである。たとえば『リットン報告書』で日本との関係の深い2nd Earl of Lyttonのことをみてみる。満州事変の時、中華民国政府から国際連盟（今のUNではなくthe League of Nations）に苦情があって、連盟が公式の調査団を派遣した。その団長がLord Lytton（Bulwer-Lytton, 1876-1947）だ。

*DNB*にはこの件について、「リットン報告書は日本を厳しく非難した」と言っている。ところが*ODNB*では、「公平な報告書を出したが、満州国は独立してしまったので、何の役にも立たなかった」と言っている。これは1950年代に書かれた伝記と、21世紀に書かれた伝記の差を示して面白い。

リットンの記事が書かれたのは戦後10年も経つか経たないかの時である。反日感情がまだまだ強かった頃だ。日本が1948年のロンドン・オリンピックへの参加を希望した時、「われわれはプリンス・オブ・ウェールズ（大東亜戦争当時のイギリスの最新鋭の戦艦）が日本の飛行機によって撃沈されたことをまだ忘れていない」と拒絶されたという。私がイギリスに留学させてもらったのはその数年後であったが、まだ反日感情はくすぶっていたらしい。オックスフォードのような学都は、さすがに国際的で、不愉快な経験をすることはなかったが、スコットランドへ一人で旅行しようとした時、お世話になっていたイギリス人の神父さんは懸念を示した。スコットランドの奥地、つまりハイランドではまだ反日気分が強いかもしれないから、ひょっとしたら生命の危険もあるかもしれないということだった。実際旅行してみるとそんな危険なことはなかったのだが。

イギリスがその後反日でなくなったのは、貿易などで利害が反することがなくなったことや、ソ連がスエズ問題でイギリスを威嚇したりしたからである。そういう変化がリットン報告書に対する見方にも影響してきていると思われる。満州事変はある意味でソ連に対するものだったからだ。（※　2007.7）

★関連項目：385/388/415

415. *DNB* から *ODNB* へ
—P.G. Hamerton の場合—

前項では同じ『イギリス人名辞典（*DNB*)』でも旧版と新版では随分異なることを『リットン報告書』のLord Lyttonの例をあげてのべてみた。ではそういう政治的なことではなく一人の知識人についてはどうであろうか。私が長年愛読者になっているハマトン（P.G. Hamerton, 1834-94）について見てみよう。彼は『知的生活（*The Intellectual Life*)』（1873）の著者である。

まず、2004年に出た新しい『イギリス人名辞典（*ODNB*)』で見てみよう。筆者はKate Flintであり、主として美術評論家としてのハマトンの業績にくわしい。そしてハマトンの美術批評の理想は「有閑紳士的批評（the leisured gentleman critic)」であったとしている。また２冊の小説を書いたことに触れ、題名もあげてある。彼のエッセイについては *The Intellectual Life, Human Intercourse*（1882）, *The Quest of Happiness*（1897）の３冊をあげ、エマソン（R.W. Emerson, 1803-82、アメリカの思想家）の影響が強かったと言っている。そして「ハマトンのエッセイズは大西洋の両岸において人気があり、その選集（a collected edition）が1882年にボストンで出版された」と続けている。

これに対してもとの『イギリス人名辞典（*DNB*)』を

見てみよう。こっちの執筆者はSir Leslie Stephen（1832-1904）である。彼は*DNB*の初代の編集者で典型的なヴィクトリア朝のman of lettersであり、女流小説家Virginia Woolfの父親でもあった。ハマトンの伝記部分については、彼自身の書いたものと、夫人が補遺をつけた大冊があるので、Kate Flintのものとの本質的な差はない。ただFlintはアメリカ人なのではないかと思うが（未確認）、エマソンとの関係に触れたり、ボストン版の選集の存在に触れている。ちなみにボストン版10巻は、アメリカの古書業会会長をやっていた友人に教えられて購入したことがある。イギリスではほとんど知られておらず、Stephenもこの版には言及していない。

面白いと思うのはハマトンのエッセイズに対する評価である。Flintは単に“... were popular on both sides of the Atlantic”と言って、自分の評価は言っていない。ヴィクトリア朝第一級のman of lettersであるStephenは、例えば『知的生活』については“a charming and thoughtful essay”と言っているほか、美術評論や美術文学（art literature；ハマトンの『Turner伝』などを指す）などの分野における業績は「最高級の（of the highest order)」と評価している。もちろんハマトンが30年近く編集に当った豪華美術雑誌*The Portfolio*についてはFlintも高い評価を与えているが、Stephenは「英国の美術雑誌の中で最も重要なものの一つ（one of the most important of English artistic periodicals)」と言う。Flintの視点が美術中心であったのに対し、Stephenは、essayistという言葉も使い、文学的な業績についても内容に立ち入って評価している。

ついでに『ブリタニカ』の各版を見てみよう。15版以後は彼の名前は消えたが、まず彼が亡くなってから出た最初の版、つまり第10版（1902-03）と第11版（1910-11）のハマトンについての記事はほぼ同じである（筆者未詳）。そこには『知的生活』は“the best known and most valuable of his writings”とあり、*Human Intercourse*（『知的人間関係』）にも“another valuable volume”と“valuable”という形容詞を使っている。そして*Modern Frenchmen*については、“admirable short biographies”と“admirable”を使っている。百科事典の使う形容詞としては大変な褒め言葉であろう。（※　2007.8）

★関連項目：385/388/414

416〜417. 新書庫…木原研三先生より蔵書を恵与される

Ne supra modum sapere.（過度に賢明であってはならぬ）

引越しというのが大変なものであるとは前々から聞いていたが、47年以上も住んだ家から移るとなると本当に大変である。書籍だけの運送費の見積りを出してくれた運送会社は、ダンボールなどの梱包材料費だけで百万円もするという。梱包方式によらない会社に依頼したが、それでも大変である。つくづく老いて（〔今年〕喜寿だ）新書庫建築という愚行の結果を嚙みしめている。そこで負け惜しみのように口の中で繰り返している言葉は、Ne supra modum sapere.（過度に賢明であってはならぬ）というラテン語の格言である。賢明でない点においては自信がある。

ところが有難いことに、こういう愚行を憐れんで応援して下さる方もいらっしゃる。木原研三先生はその蔵書を、有名な辞書のコレクションも含めて大学に寄贈された方である。市河三喜博士の高弟でいらっしゃる先生は、その師に倣って、停年退職と共に、その貴重蔵書を大学に残すという道を選ばれた。これは賢者の道である。その木原先生から見れば小生の愚行は、憐れむべき、また小児的愛らしい行為に見えたらしい。まだお手許におかれた何冊かを、私の新書庫のために御恵与下さったのである。そのいくつかを紹介しておきたい。先ずはJ. Bosworthの*A Compendious Grammar of the Primitive English or Anglo-Saxon Language*（London: Simpkin and Marshall, 1826. xii. 84pp.)、イギリスでは最も古いOE文典の一冊である。BosworthはOE辞典の編者として有名であるが、OE文法も書いていたのである。Old Englishという言い方が一般的になっておらず、the Primitive English（原初の英語）とかAnglo-Saxon Languageと言っているところが面白い。副題には「その知識〔OEの知識〕は自国語の真の起源や語法を十分に理解しようとするすべての現代英語文法家に欠くべからざるものである」とある。内容はOrthography, Etymology, Syntax, Prosodyと伝統的なラテン文法書の4分類に従っており、巻末にはOEの聖書からの抜粋に現代語訳と注を付けたものが6ページ、巻頭にはバッキンガム公爵をconstant patron of literatureとたたえる献辞が1ページ付けられている。こういう大袈裟な献辞がこの頃にはまだ文法書にまで付けられていたのである。

次はE. Wechssler, *Giebt es Lautgesetze?*（Halle Max Niemeyer, 1900, 190pp.）これは比較言語学の出発点ともなった音韻法則に対する疑問の提出である。たとえば、ローマ帝国で、住民たちが自分たちのところにやってくる植民者たちの語るラテン語の音価をどのように変えていったか、という実証的研究である。当時は音韻法則の論争は一応おさまっていたが、それでは説明できないものを論じたのである。これは同時に「方言はそもそも存在するのか」という問題にも連らなる。そうするとさらに「言語とは何ぞや」まで論は及ばざるをえない。本書は元来は藤岡勝二先生が所有しておられたものらしいが、徳永康元先生に渡り、それを国語学の亀井孝先生が昭和13（1938）年７月に他書との交換で譲り受けられたものである（これは本の見返しのところに書いてある）。それが亀井先生没後、早稲田進省堂に出て、それを木原先生が平成17年９月、500円ぐらいで買われ、今度それが私の新書庫に入ることになった。私の死後どうなるか楽しみだが、私は知ることができないのが残念だ。

それに佐藤偉氏のヨークシャ方言の文法研究（英文）と『英語史概説』もいただいた。佐藤氏は当時、英語学の先端研究分野とされていた音韻史研究の第一人者で、戦後最初の頃のイギリス留学生として渡航中、マラッカ海峡で投身自殺された。私がそこを〔50年〕前通った時も月明の夜であったので、たむけの一句。「明月や才子を呑みし海の色」。（※　2007.9）

(2)

喜寿になった男が大借金して新しい書庫を建てることにしたというその愚かな志を憐れまれて、木原研三先生がお手許の蔵書を御恵与下さったという話を続けさせていただきたい。というのは市河三喜博士から始まった日本の英語学の「ある時代」の一面を示してくれているからである。

John Lawrence（ローレンス先生）の名前を知る人は稀になってしまった。この人こそ日本における英語学の鼻祖とも言うべき学者である。文部省が英文学研究の第一回留学生としてイギリスに送り出したのが夏目金之助、つまり漱石であった。漱石の前に東大で英文学を講じていたのはラフカディオ・ハーン、つまり小泉八雲であった。漱石はハーンの後継者になることには恐縮していたが、意気軒昂としてロンドンに向った。しかし、オックスフォードやケンブリッジにはまだ英文学講座はなかった。それでロンドン大学のケア教授の授業に出る。しかしケア教授の授業というのはその弟子の語ったところによると、低声で、しかも古ノルド語や古英語や中英語のテキストを混ずるので理解しにくかったそうである。後にイギリスの英文学の教授になるイギリス人でさえも聞き取ることが難しい講義を東京から来た漱石が聞き取れたわけはない（と私は思う）。日本一英語ができるということで文部省から派遣された人間として、漱石は恥じた（と私は思う。この気持ちは国文学の人にはわからないだろうネ）。それで漱石は神経症的になった（と私は思う）。漱石が大学に残らなかった一つの理由は、創作力が特に優れていたことの他に、イギリスの大学の英文学の講義が解らなかったというトラウマがあったのではないか（と私は思う）。

この痛切な体験を漱石が文部省か大学の偉い人に報告したかどうかは知らない。しかし古英語や中英語が英文学の研究に必要なことが文部省や大学当局にわかったらしい（ハーンは古英語文学も英文学史講義で扱っているが、現代語訳を用いていた）。それで古英語や中英語にも通じた学者を招くことになった。そこで白羽の矢が立ったのがJohn Lawrenceという若い学者であった。

この先生は実によい先生だったそうである。最もよく目にかけた日本人学生が千葉勉先生だった。私は晩年の千葉先生の学生であったが、ローレンス先生のことを語る時のあの懐かしそうな御表情を忘れることができない。しかしローレンス先生の学問を継いで東大に残ったのは千葉先生ではなく市河三喜博士だった（この辺の事情を語る時の千葉先生の口吻も忘れ難い）。ローレンス先生は著述はほとんど残さず、教育に全力を捧げられたのだと千葉先生にうかがったことがある。そのローレンス先生の恐らく唯一の著書が *Chapters on Alliterative Verse* (London: Henry Frowde, 1893, vi +113pp.) である。ローレンス先生はこの論文をロンドン大学へ学位（D.Lit）

請求論文として提出し、1892年に学位授与され、プラーハ大学の英語講師（lector）として赴任し、後に東京に招かれたのである。この本は内容・形式共に当時のドイツの学位論文に似ている。英語についてこういう論文を書いて学位を取るということがドイツの大学から始まり、それがドイツの英語学の水準を独特の高さにしたのであった。千葉先生の口癖の一つは「イギリスの英語学はドイツに50年遅れているぞ」ということであった。これは市河博士にも共通だったようだ。市河先生の後継者の中島文雄先生の若い頃の論文や著書の参考文献は100パーセント近くドイツ語のものだった。木原先生も市河博士の門下だ。今の若い学者の手の出ないようなドイツ語の本を何冊も私に下さった。ちなみに私が木原先生にいただいたローレンス先生の本は、尾島庄太郎先生所蔵のものだったとのことである。（※　2007.10）

418. Centenarian 激増の時代

“本当に100歳まで生きたいと思うのか。”

〔最近〕私は『95歳へ！』という本を書いた。私の観察したところによると、80歳までの人の場合、病床で苦しむ人もいる。90歳だとまだ生きることに未練を残している人が少なくない。ところが95歳ぐらいになると、たいてい生に未練なく、死に恐怖なく、聖者賢人の晩年のような心境になる。私は高齢の学者に関心があり、その何人かと対談し、単行本になったものもある。そうして得た感触は、「人間95歳を過ぎると、お経もバイブルも超越して、死を迎えることは、あたかも結構な場所に移られるようなものだ」ということである。難行苦行で悟りをひらくのもよいだろうが、95歳まで生きるだけでもその境地に達することができるのではないか、という不遜な考えさえ抱くようになった。

そんな時に「本当に100歳まで生きたいと思うのか “Do you really want to live to be 100?”」という Michael Johnson のエッセイが目に入った（*International Herald Tribune,* Tuesday, July 17, '07）。現代のアメリカ人の寿命についての考え方の一端を示しているようなので紹介してみよう。インターネットでも長命可能性を競うテスト（longevity test）があるそうだ。ちなみにこのジョンソン氏の寿命予測は84歳だったそうだ（彼の現在年齢は不詳）。

100歳以上のアメリカ人の数は1950年代以来10年ごとに約倍になってきたそうである（Boston University の調査）。〔現在〕アメリカ人の100歳以上の人（centenarians）は８万人だという。この大学の予測では、2040年までにその数は50万人ぐらいになるとのことである。日本では〔現在〕centenarians は２万８千人ぐらいだと記憶している。総人口はアメリカが日本の2.3倍ぐらいだから、100歳老人に関する限り、アメリカの方が多い比率になる。平均寿命は日本の方がかなり高いのだが、100歳以上ということになるとアメリカの方が多いのだ。これはアメリカには乳幼児死亡率の高い階層があることを示唆しているようである。

イギリスでは新しく100歳に達した人にエリザベス女王が毎年お祝いの手紙を出されるとのことである。女王に即位なさった1952年には255通出されたそうだが、〔去年〕は4,623通にサインなされたそうだ。この半世紀の間に、イギリスで100歳になる人は約18倍になったことになる。老齢者に関する限りすごい人口増加率だ。私が子どもの頃、「シナには４億の民があり」という歌（旧満州やチベットを含めない数だから割引きしなければならない）を歌った覚えがあるが〔現在〕は13億だという。中国の人口が爆発的に増えたと言ってもたった３倍ぐらいだ。

いわゆる先進国における高齢者人口の増加の原因は感染症による死亡が減ったこと、高齢者医療の発達、生活水準の向上で食物がよくなったことだという。だいぶ前に聞いた話だが、イギリスは「揺り籠から墓場まで」という福祉政策によって、多くの病院を建てた。それで十分なはずだったが、ペニシリンの普及で老人性肺炎で亡くなる人が激減したため、それが養老院となってしまって計画が狂ったという。

いずれにせよ先進国では100歳を目標とすることに高いバリアがないことになったが、それには努力がいる。カウチ・ポテトをやめるとか、忙しく働き続けるとか、食物繊維をよく摂取するとか、太極拳やヨーガをやるとか。問題はテレビを見て運動をしないベビー・ブーマーの世代（日本で言えば「団塊の世代」）で、〔今〕は60歳ぐらいの人たちだという。もっともロシアでは平均寿命が58歳だが、それがそのうち53歳になりそうだという。いずれにせよ寿命に関心が高いのは「死んだあとの世界がわからないから」であるから、ジョンソン氏は84歳になるまで、あの世への準備を整えるつもりという。

（※　2007.11）

419. 迷信・異端・異教

宗教を信ずる者には自分以外はみなheretics（異端者）なのだと考えた方がよいかも知れない。

だいぶ前から、毎朝の行としてマコーレーの『英国史』の音読をやっている。〔今〕は４巻目の600ページ目あたりだから、もう二千数百ページ声を出して読み続けたことになる。そしてつくづく「これは名著だなァ」と思うことがしばしばある。今回は、〔最近〕、マコーレーの言葉遣いで気がついたことを１つ紹介してみたい。

マコーレーはカトリックに言及する時に、よくsuperstition（迷信）という単語を使う。宗教というのは、自分の信ずる宗派以外はすべて「迷信」、つまり「迷って信じている」と決めつけてもおかしくないが、マコーレーの場合は、その理由が極めてはっきりしている。それはtransubstantiation（化体説――ミサによってパンと葡萄酒が、キリストの肉と血に変えられるという神学説）がカトリックの教義だからである。カトリックでは、ミサによって、捧げられたウエハース（ミサ用の薄いパン、聖餅とかホスチアと呼ばれる）と葡萄酒が、キリストの本当の肉と血に変化する、つまり聖変化するということを教義にしている。聖トマス・アクィナスの有名な祈りにも、「目には見えねど」主イエス・キリストの肉と血になることを賛える言葉がある。

しかしマコーレーのようなプロテスタントにはそんな「目に見えぬ変化」を信ずるのは迷信以外の何物でもないのだ。名誉革命のハイライトは1689年制定の the Bill of Rights（権利章典）であるが、その中で「イギリス国王は、全員出席の議会と戴冠式において、化体説否定の宣言（the Declaration against Transubstantiation）をする」ことが定められたのである。権利章典のこの部分は「自分が書いたんだ」と Gilbert Burnet 司教はその『同時代史』の中で自慢している。名誉革命というのは、迷信を頑強に護ってそれを国民に押しつけようとした James Ⅱを追放するというのがその目的だったことになる。

この James Ⅱに輪をかけて熱心なカトリック信者であった皇后 Mary of Modena は、どう呼ばれることになるだろうか。マコーレーは彼女を idolatress（偶像崇拝女）と呼んでいる。おそらく彼女がマリア像などを崇敬していたからであろう。

マコーレーは一方で、カトリック側はプロテスタント側をどう呼んでいたかも示してくれている。それは heretics（異端者）であった。カトリック教会は自分たちの教義を orthodox、つまり ortho-（真直ぐな、正しい）doxa（意見）と主張しているわけだから、そこからはずれたものは、異端となる。この heretics の語源は「選択」という意味のギリシャ語であるから、「誤まれる意見を選んだ者たち」というのが元来の意味である。「選ぶ」という意味が根底にあることは、近代人の心性に適っているところがある。内村鑑三は厳格なプロテスタントであった。若き日の田中耕太郎（東大法学部教授・文相・最高裁長官）が内村の意見に疑問を呈すと烈火の如く怒られたという。「選択」を根本にするプロテスタントが、それに対する疑問を許さないのならば、カトリックの方が筋が通っているというのでカトリックに入信したそうである。宗教を信ずる者には自分以外はみな heretics なのだと考えた方がよいかも知れない。

ところでカトリックに対しても、プロテスタントに対しても、共に恐るべき敵だったのはイスラム国、当時のトルコである。イギリスの名誉革命の頃に、ヨーロッパでは神聖ローマ帝国皇帝はオスマン・トルコと戦っていた。このトルコ人のことをマコーレーは infidels（異教徒、邪宗徒）と呼んでいる。しかし infidel の語源は〔in (not) + fidelis (faithful)〕であるから元来の意味は「信仰なき者」である。その「信仰」が自分の宗教でなければ、それは無神論者に等しいことになったわけである。（※ 2007.12）

420. 歴史とインテリジェンス

アングロ・サクソン系国家はintelligence 重視であった。

〔最近〕「インテリジェンス」という言葉が、歴史を扱う学者の中でよく言われるようになった。辞書を引くとintelligenceには「知能、報道、情報；諜報機関、（秘密）情報部」などの意味がある。日本におけるインテリジェンス研究の権威で、秀れた著書のある小谷賢氏は、intelligenceとinformationの区別を、解り易い例で示してくれている。たとえば気圧、温度、湿度などは天気に関するinformationであるが、そういうinformationの多くを突き合わせて「天気予報」にすれば、それはintelligenceになるという。

われわれは「生のデータ」とか「生の情報」というものを重んじたがるが、それは危険で、intelligenceの判断が重要だという。昭和19年（1944年）の台湾沖航空戦では、現場からの「生の報告」によればアメリカの空母19隻、戦艦４隻を撃沈したことになっていた。中央の幕僚たちはそれは誇大で、空母４隻から５隻撃沈と考えたらしい。しかしintelligence専門の情報部の分析では、空母も戦艦も１隻も撃沈していないという結論だった。

しかし日本軍の中では、intelligence 担当者は、出世コースからはずれた人たちということで、作戦部から軽視された。その結果、日本軍はレイテ島で全滅することになる。

アングロ・サクソン系国家は intelligence 重視であった。前の大戦でドイツが用いた暗号機 Enigma による暗号は、他者による解読は絶対不可能とされていた。しかしイギリスの intelligence は、この暗号機のもとになったものはポーランド製であったことをつきとめ、イギリスでも作ってしまう。しかしこれは絶対秘密にしておかなければならない。そんな時に、ドイツ空軍がイングランド中西部の工業都市 Coventry を爆撃する計画があり、その日時も暗号解読によって解った。チャーチル首相はその報告を受けながら、その対策を取らなかった。そのため Coventry 市は大損害を受けた。チャーチルにしてみれば、イギリスがドイツの暗号を解いていることを知られることの方が、一都市を空襲から護るよりも重要だと考えたのである。

同じことはアメリカについても言える。アメリカの水爆の秘密をソ連に洩らしたということで、ローゼンバーグ夫妻が死刑になった。その夫妻の子どもに宛てた手紙はベストセラーになり世間の同情をひいた。裁判から受ける印象では、証拠不十分というところがあったからである。その後アメリカでは、1950年代前半にジョセフ・マッカーシー上院議員によるいわゆる「赤狩り」が行われた。ソ連共産主義のスパイやシンパの排除運動である。アメリカ政府内の要人、ハリウッドの映画関係者、作家、更に日本人やイギリス人にまで及んで大騒ぎになった。そのためマッカーシー議員は言論や思想の自由の敵という評判をとり、激しい批判を受けた。

ところがソ連が解体したため、ソ連とアメリカ国内のソ連工作員たちの暗号通信を、アメリカ陸軍省の特殊情報部が解読していたことを、アメリカ陸軍は隠し続ける必要がなくなった。そして出てきたのがVENONA文書である。これによってマッカーシー議員の追及は正しかったことが証明されたことになる。
〔最近〕ではイギリスからも秘密通信の傍受解読記録(「マスク」文書という)が出ている。われわれが戦後聞かされてきた世界史に対する見方が180度変わるような話が続々と出てきそうである。

イギリスは昔から暗号が得意とされていた。典型的なpolymath(博学の人)で重要な英文法書の著者でもあるWallisは暗号でも有名で、その方面の著述もある。私はその珍本をエディンバラで大枚をはたいて買ったが全く読んでいない。「読んでも解らないだろうな」と今では思っている。(※　2008.1)

421〜423. アメリカと古書の話

図書館の閲覧室に備えられてあるのは、どこでもウェブスターの第二版であった。

いまどきアメリカ訪問記でもないと思うが、古書に関したことであるので、〔最近〕見聞したことを思いつくまま記しておきたい。

思い起こせばアメリカに私が最初に行ったのは1968年であったから約〔40年〕前、つまり四昔以上にもなる。ベトナム戦争があったが、アメリカの社会はまだ荒れていなかった。途中に立ち寄ったハワイでハレット氏（上智大学の非常勤講師であった）と共にフラダンスを見に行った。そこで主催者が「ベトナムからの帰還兵は立ってください」と言ったら５人くらいの若者（平服）が立ち上がった。するとみんなが盛大な拍手をした。その頃のノースカロライナの大学（私の二番目の任地）でも、キャンパスは広く、寮生以外はみんな自動車で来ていたが、車のキーを抜く者はいなかった。それほど治安がよかったのである。

その１年後からアメリカの社会は大いに混乱した。かつてニュージャージー（私の最初の任地）で私を寄宿させてくれた老婦人（コロンビア大学医学部教授未亡人）

から、その年私に来た手紙には「私の国ではないようになりました」とあったくらいである。その後は、息子どもが留学したこともあり、また講演などでよく訪米の機会はあったのだが、気がついてみると21世紀になってからは今回が初めてのアメリカ訪問であった。

知り合いの紹介でライブラリィ・ホテルに泊まることにした。マジソン・アヴェニューに面し、ニューヨーク市立図書館やピアポント・モルガン図書館に歩いて数分のところにある。6階ぐらいあるが、1つのフロアに4室しかない。3階は食堂と読書室を兼ねた空間になっている。食堂といっても、料理は出さない。朝食の用意はしてあるから、自由に食べればよい（ちゃんとした食事は1階のレストランが道路に面してある）。この空間にはグランド・ピアノもあり、ずらりと書棚があるが、これは普通の図書だ。ただ厚いウェブスターの第二版が置いてある。ウェブスターの第二版というところが面白い。今回の旅の目的は国際ビブリオフィル協会（Association internationale de bibliophilie）の会議であったので、公私さまざまの library を見せてもらったが、図書館の閲覧室に備えられてあるのは、どこでもウェブスターの第二版であったのは印象深い。私は自分の使用経験から、この第二版が好きで、学生たちにも買うように奨めてきた。ジョージタウン大学に留学していた私の教え子は、田舎の古本屋を回ると、ウェブスターの第二版が1万円ぐらいでゴロゴロあるので、それを買い集めて日本の同窓生にわけてあげた。「いいことをしたね」と私は彼をほめてやった記憶がある。

ウェブスターの第二版が出た頃は、アメリカも余裕がある時代だったのだろう。すぐれた英文学者であると同時に、日本最初のユーモア小説の大家であった佐々木邦に『豊分居雑筆』というすぐれた随筆集があるが、その中にウェブスターの第二版を買った話がある。そうしたら英語に関係ある仕事をしている佐々木邦の息子たちもそれを引いて、「この単語も入っている」と喜び驚く情景が描写されていた。戦前の日本の平和な一家庭風景として印象深く、私もそれを持てるようになりたいものだと思ったものである。

このライブラリィ・ホテルの食堂兼読書室は24時間オープンで、お茶もコーヒーもコカコーラもクッキーなども自由に取れてタダである。毎日５時から８時までは、ワインとチーズの無料サービスで、いわば飲み放題であり食い放題である。しかしこの広い部屋にはいつも２、３人、多い時でも数人しかいない。宿泊人は卑しくない人たちばかりであった。（※　2008.2）

(2)　プリンストン大学で

プリンストン大学はわれわれを温かく迎えてくれた。多数の古書関係の職員が、さまざまなコレクションに案内して説明してくれた。アフリカ探検の古地図のコレクションの展示などもあったが、同行の松田義幸教授は、ナイル川の水源が「月の女神の山」と言われていたことがあるのに気付き、それは私の郷里の庄内地方の月山の伝説とある種の類似性があると指摘してくれたりした。

プリンストンともなると、多くの卒業生が寄附した文庫がある。私にも多少関係ある英文学やそれに関係したcollections（複数）を見ていると、欲しいと思うものが沢山ある。それは稀覯書と言われるほどのものではなく、18世紀や19世紀、特にヴィクトリア朝のものが多い。こういうコレクションは寄贈者の意図を尊重して、一般の図書館や研究室とは別に保存されているわけである。日本の大学では〔最近〕は故人の蔵書の寄贈を歓迎しない傾向にあるようだが、土地にいくらでも余裕のあるアメリカでは、昔の日本のように、個人の蔵書の寄贈を歓迎するらしい。しかしコレクションの収蔵は一般学生用の図書館とは違うから、特別の手続でなければ手にするわけにゆかない。私の目から見るとそれは死蔵に近いのではないかと思われる。古書店に遺族が売ってくれたらよいのに、と思ってしまう。そうすればそれらの本は、金を払ってでも手に入れたいと思う研究者や愛書家の間を巡回し続けるであろう。本にとっても、“本”望なのではないか。

しかし本物の稀覯書ともなれば少し話が違う。プリンストンには The Scheide Library という稀覯本図書室がある。これは Scheide という石油で財をなした人が、古い聖書などを中心として集めたものである。ここにはグーテンベルクの聖書やルターの聖書などもあって、プリンストンの誇りともなっている。しかしこの蔵書はまだプリンストン大学の所有ではなく、シャイデ家から預ったものとなっている。〔今〕のシャイデ氏はその三代目で、すでにnovemuagenarian（90歳代の人、もっともこの単語は私の造語なので博雅の人に正しい言い方の御教示を乞う）である。シャイデ氏は07年の正月の集まりにおいて、この蔵書の関係者に、「寄贈する」という意味に解釈される言葉を言ってくれたそうである。しかし正式の寄贈にはなっていないので、没後のことは遺産相続とからめて100パーセント確実とはまだ言えないらしい。シャイデ氏は〔今〕もお元気で、われわれが訪れた日も大学に来ておられたそうであるが、お目にかかることはなかった。もっとも私は〔10年〕ほど前にパリでの古書の集まりで同氏にお会いしたことがある。彼の蔵書の管理者（肩書きはlibrarian）を連れていたが、私は彼から手紙をもらったことがある。

それはW. Lambardeの*APXAIONOMIA*（＝*archaionomia*）（London: J. Day, 1568）に関することであった。これはイギリス、と言ってもアングロ・サクソン時代の法律の最初の印刷本である。OEをやる人でもOE時代の法律、たとえばアルフレッド大王の法律を古英語で読む人はあまりいない。ところが私の大学院のゼミではそんな物を講読していたので欲しかった。現代の印刷本ならドイツで完璧なものが出ているが、私はテューダー王朝のその本が欲しかった。これは著者ランバード自身の所蔵本で、その書き込みはOE辞典を作るつもりでなされたものだ。それだけで貴重である。私の当時の約四か月分の月給に相当する値段だった。シャイデ・ライブラリーのlibrarianはこれを買うことをシャイデ氏に頼んだが“... Mr. Scheide decided that he was unwilling to acquire the book for the library.”だったとのことであった。このlibrarianは、パリでこの本を見せてくれるように私に頼んだが、まだお目にかける機会はない。（※　2008.3）

(3)　クラブの隆盛 ——平等主義社会の格差化

ニューヨークとシカゴでの「国際ビブリオフィル協会」の集まりは11日間あり、その間にディナーやカクテル・パーティーなどが10回以上あった。しかしホテルでやったことは１回もなかった。欧米のビブリオフィル（bibliophil＝愛書家、蔵書〈道楽〉家）はハイブラウな人たちが多い。ディナーパーティーでもタキシード着用指定というのが３回もあった。ところがそういう華麗な（？）パーティーでもホテルは使わないのである。すべてクラブか、会員の誰かの顔でなければ使えない場所である。この会をイギリスでやった時は、ロンドン塔やブリティッシュ・ミュージアムの中でのディナーがあったし、オランダでやった時は、国立美術館の中で、レンブラントの「夜警」の大きな絵を前にテーブルを並べたディナーであった。今回のニューヨークでも、フリック美術館内でのディナーがあった。

もう〔30年〕以上も前になると思うが、当時の『タイム』にアメリカのセレブ達が美術館でパーティーをやるようになり、それがステイタス・シンボルだというような記事があった。これが欧米では社会的風習として定着してきているらしい。ホテルならお金があれば贅沢なパーティーができる。「お金があれば」というのは一種の民主主義である。ところが世界的名作のある美術館や博物館でディナーをやろうとしたら、「お金があれば」という簡単なものではなく、社会的なステイタスが要る。

近代の世界で最初に民主主義的な国家になったイギリスでクラブが発達したのも、理念における平等社会の中に、現実的な格差を持ちたいということが動機になっているのであろう。英語でも club という単語が今日のような意味で用いられるようになったのはそんなに古いことではない。もちろん club の原義は棍棒みたいなものである。これが標識として用いられたところから、一種の入場許可証のような意味にもなり、酒場などでの費用は割勘にする仲間同士の集まりの意味に発展した。Dr. Johnson が辞書を書いた頃の意味はこれであった。今日の意味も18世紀後半からであり、建物をも意味するようになったのは19世紀になってからだと *OED* は教えてくれる。どういうクラブに入っているかで、イギリスでは社会的地位がわかるらしい。アメリカもそれを真似してクラブが多い。ロータリー・クラブのように世界に広めようとしているクラブもある。ちなみに、クラブの本場であるイギリスではロータリー・クラブははやらず、ドイツや日本では盛大である。

ニューヨークでは、ハーバード・クラブや、メトロポリタン・クラブやユニバーシティ・クラブでディナーがあった。ユニバーシティ・クラブというのはアメリカの大学で Ph.D を取らないと入れてくれないと聞いたことがある。ここはクラブと言っても大図書館の風格がある。高い天井までの書棚には、中程に廻り廊下のようなものがついている。これに上ってみたが、あまりに高くて少しこわかった。こういうクラブで食事をさせてくれる人がアメリカのメンバーの中にいるということであり、そのことを示したかったのだと思う。

シカゴではラケット・クラブでもディナーがあったが、これはニューヨークのニッカーボッカー・クラブと提携しているのだそうで、あるイギリス人の出席者は、「私はニッカーボッカー・クラブに入っているので、シカゴではここに泊まっています」と言っていた。このようにクラブはメンバーのホテルにもなる。'The Casino' はシカゴで一番会費の高いクラブと聞いたが、ここでもディナーがあった。〔今の〕アメリカは新しいクラブがどんどん出来て、年会費千ドルくらいのものも多いという。平等主義社会の格差化である。（※　2008.4）

424. St. Helena 物語

Waugh が自分の最善の作品だと言っていた *Helena*

Evelyn Waugh［wɔː］（1903-66）という作家がいる。彼の「名声（reputation）は今や20世紀の最も優れた（finest）小説家の一人としてゆるぎない（secure）ものになっている」と Oxford 版の *DNB*（大英人名辞典＝*Dictionary of National Biography,* 2004）は述べている。私が学生の頃はまだ Waugh は日本の英文学会では有名でなかった。彼の名を高め、アメリカではベストセラーになった『ブライズヘッドふたたび（*Brideshead Revisited*)』が出版されたのは日本の敗戦の年であり、洋書の輸入などということもなかった時代だったからである。しかしカトリック作家ということで上智大学の英文科では有名であった。何しろ彼はエリザベス朝に殉教したキャンピオン（Edmund Campion, 1540-81）というイエズス会士の伝記を書いた人なのである（上智大学はイエズス会が創立)。私個人のことについて言えば Waugh に洗礼を授けたイエズス会神父 Martin D'Arcy 師は、私の Oxford 留学を可能にしてくれた恩人であった。

Waugh が常に自分の最善の作品だと言っていたのは

Helena（1950）であった。そして私が最も感銘を受けたのもこの本である。イギリスに残っている伝承によれば、聖ヘレナはColchester（Essex大学の所在地）の伝説的な国王であるKing Coelの娘ということになっている。その頃にローマからコンスタンティウス・クロルスがやってきた。ジェフリー・オブ・モンマスの『ブリタニア列王史』（c. 1137）によればCoel王はコンスタンティ<u>ウ</u>ス（『列王史』にコンスタンティ<u>ヌ</u>スとあるのは間違い）と平和条約を結んだが、その後すぐ死んだので、コンスタンティウスが自ら即位して、ヘレナという名の娘を王妃に娶（めと）った、としてある。そこで生まれた男の子が後にコンスタンティ<u>ヌ</u>ス大帝となる。

この大帝がローマの宗教としてキリスト教を公認する。その宗教的影響は母のヘレナに由来したものではないかとも推察される。こうしたイギリスの伝承をWaughは小説にした。コンスタンティヌス大帝の母となったヘレナはパレスチナ地方に巡礼にゆく。そしてキリストの十字架を発見したというのである。Waughの考えによれば、これはキリスト教の起源に、十字架という材木が残っていたという現実性を与える重要な話だという。この十字架を小さく削って、その上に教会を建てるということが中世にはヨーロッパ中で起こったからという理由でもある。19世紀以降のキリスト教神学の高等批評派には、キリスト神話説も有力だったが、聖女ヘレナの十字架発見説は、キリストにリアリティを与えるものとして

Waugh は重要視したのである。

ヘレナという女性がコンスタンティヌス大帝の母であったのと、大帝が正帝であって父の死後、ブリタニア北部の軍団基地のローマ軍将兵によって皇帝に擁立されたこと、ヘレナがパレスチナ巡礼をやったことなどはすべて事実である。しかし歴史学者たちの意見では、ヘレナの生地はブルガリア国境に近いセルビア・モンテネグロ国内のニシュだとか、今ではトルコのヘルケス地方にあるドレパヌムだとか言われる。大帝が建てたヘレナポリスも東方にあるのだから、イギリス説は根拠がないとされても仕方がない。塩野七生さんの『ローマ人の物語』の中ではバルカン地方の「居酒屋の娘」ということになっている。

しかし Waugh の小説 *Helena* の力はすごい。今までの大英人名事典（*DNB*）には Helena も Constantinus もなかったが、その Oxford 版（*ODNB*）には２人とも取り扱われることになったからである。Old English の学徒が Cynewulf の一番の傑作として読む *Elene* は、St. Helena の十字架発見の話である。（※　2008.5）

425. 90歳代の人 ——a nonagenarian

本書［421-423］項 p.132で私は「90歳代の人」を示す英単語として、*novemuagenarian という造語をしてみたが、そんな単語は見たことがないので、「博雅の人に正しい言い方の御教示を乞う」とお願いしておいたところ、早速、木原研三先生——正に博雅の士である——から早速、御教示があった。それは nonagenarian と言うとのことである。こうした言い方は *POD*（*The Pocket Oxford Dictionary*）のサイクスによる改訂６版以前の版、つまり Henry Watson Fowler の名前のある旧版の quadragenarian（40歳代の人）という単語のところにまとめてあげてあると教えていただいた。

なるほどここには quinquagenarian（50歳代の人）、sexagenarian（60〜69）、septuagenarian（70〜79）、octogenarian（80〜89）、nonagenarian（90〜99）、centenarian（100歳以上）とある。*POD* にはこうした面白い記述の仕方があるということは福原麟太郎先生の書物で読んだことがあったが、今回、改めて *POD* の旧版の面白さを思い出させていただいた。木原先生も H.W. Fowler 的な面白さがなくなってきていることを嘆いておられるが、同感である。

Fowler の *A Dictionary of Modern English Usage*

（Oxford, 1926）などは昔の先生たちのおすすめ本であり、私もこれを〔58年〕前の1950年の誕生日に渋谷の古本屋で買った、と表紙裏に書いてあることを今確かめてみた。ちなみに研究社の『リーダーズ英和辞典』には *POD* と同じように quadragenarian（40〜49歳の人）のところにまとめて書いてある。この監修者の松田徳一郎先生も Fowler を尊敬した世代の学者なのであろう。木原研三先生の『コンサイス英和辞典』にも *POD* の形が残されている。木原先生の言われるように、「こういう玄人向きのお遊びみたいなのが」あった時代の英語学（philology で linguistics でない）は楽しい。つまり philology とは語源の如く philo-（love）と logos（word）の合成語である。

ところで私が「90歳代の人」という英語を造語しようとした時、なぜ*novemuagenarian を考えたのかを反省してみたい。私は「80歳代の人」を示す octogenarian と「70歳代の人」を示す septuagenarian を参考にしたのである。octo は、ラテン語で８の基数で母音 o で終っている。septem は７の基数で、その語尾を取り、sept- に -uagenarian をつけている。９の基数は novem であるから、*novuagenarian か、*novemuagenarian になるのではないかと考えたのであった。しかし「90歳代の人」の場合は基数の novem ではなく、序数の nonus, nona（９番目の）に -genarian をつけたのであった。「80歳代の人」も８の序数 octavus を使えば*octavagenarian になっていたはずである。ところが何と「40歳代の人」のquadragenarianは基数quattuorも序数quartusも使わずに、「四角形の」を意味するquadrusを使っている。つまり、統一された造語法がなかったのである。

ついでにラテン語の数詞で英語になっているものをいくつかあげてみよう。先ず１の基数unusはuniform（一様の）とかいろいろあり、序数のprimus（第一）はprime minister（首相＝第一の大臣）に現れる。２以上の基数からは音楽関係用語が多いが、これはイタリア語やフランス語経由のラテン語である。例えばduet（二重奏、二重唱＜duo）、trio（三重奏、三重唱＜tres）、quartette（四重奏曲＜quattuor）、quintette（五重奏曲＜quinque）、sextette（六重奏曲＜sex）などである。書物のサイズはラテン語の序数を用いる。大きいfolioは紙一葉（＜folium）であるがこれを「二つ折判」と訳し、次からは四つ折判がquarto（＜quartus）、八つ折判がoctavo（＜octavus）、十六折判がsextodecimo（＜sextusdecimus）といった工合である。

（※　2008.6）

426〜428. Standing Army 論争

本に関心ある政治家の功績

〔今から34、5年〕前に『ドイツ参謀本部』という本を書いた（中公新書。その後、クレスト社、祥伝社、ワック）。ドイツ留学中にドイツの近代史、いな西ヨーロッパの近代史はドイツ参謀本部なしに考えることはできないと思ったのだった。

その時、イギリスという島国とドイツという大陸国との差を痛感した。たとえばナポレオン戦争のような大戦争の時、イギリスも何万もの兵隊を動員する。しかし戦争が終わるとたちまち数分の一にまで兵隊の数を減らしてしまう。しかしプロシア（後のドイツ帝国の中心）はそうはいかない。隣にはロシア帝国、オーストリア帝国、フランス帝国という強大な陸軍国が並んでいるのだ。戦争が終わったからと言って兵隊を減らすわけにいかない。徴兵制は廃止できない。その負担が国力にマイナスになる。イギリスは陸兵を減らして海軍を強め、大植民地帝国になる。徴兵制は不要だ。近代の世界史をうんと巨視的に見ればこうなるだろう。そして日本も日露戦争後に徴兵制を廃止していたらどうなったであろうか、と考えたりもした。

現代イギリスの始まりは、いわゆる名誉革命（1688-

89）にあると言えよう。その主人公はオランダからやってきたオレンジ公ウィリアムこと William Ⅲである。彼はその時代の傑出した軍人であり、また外交的にも抜群の洞察力があって、アイルランドを二度と立てないほど武力鎮圧し、大陸でも、かの太陽王ルイ14世を相手に大同盟の中心になって戦い続け、ついにルイ14世の野心を挫いた（1697年の Ryswick 平和条約でルイ14世はフランスの占領地のほとんど全部を返還し、イギリスの要求通り、ウィリアムの王権とその後継者を承認した）。

しかしウィリアムは軍人としてルイ14世の野心が消えたと思っていない。大陸が再び戦場になる可能性が高いと思っている。その時、ルイ14世のフランス軍を抑えることができるのは自分だけだと確信している。だから今まで持っていた軍隊を持ち続けたい。しかしイギリス議会は Ryswick（リズウィック）平和条約があれば、陸軍は不要であると考えている。イギリス人にしてみれば、William Ⅲは何と言ってもオランダ人であり、その軍隊の中にはオランダ人の将校やオランダ人の兵士も多い。それに国王についてきたオランダ人の中には、大貴族になった者もあって、イギリス人の嫉妬を買っていたのである。

そこで standing army（常備軍）の問題が大きく浮き上がってきた。常備軍というのは文字通り、国王がいつでも使える軍隊のことであり、単なる国王の護衛兵ではない。イギリス人には standing army から受けた暗い記憶がまだなまなましく残っていた。それはCromwellの軍隊である。これによってCromwell——the great usurper（大簒奪者）——は王制をも議会をも踏みにじることができた。それからまだ半世紀も経っていない。それで「常備軍と自由なる国家は両立しない」(A standing army and a free constitution cannot exist together.）とか、「常備軍という呪いを持った国はどんな国でも安全であり得ない」(No country can be secure which was cursed with a standing army.）という議論があった。国防にはmilitia（民兵）で十分だと言うのである。そして歴史からの例が引用された。ギリシャで最も強かったスパルタ兵は民兵であったとか、ローマ帝国のよき時代のローマ軍は民兵であったとか、百年戦争でイギリス軍が大勝したクレッシ（Cressy)、ポワティエ（Poitiers)、アジャンクール（Agincourt）の戦争で戦ったイギリス兵は民兵ではなかったとか。17世紀になったらイギリスは常備軍がなければ国を護れないほど堕落したのか——というような議論がなされた。

（※　2008.7）

(2)

常備軍（standing army）が必要かどうか、という議論に、古代ギリシャ、古代ローマ、中世の歴史が出てきて、それが議会の決定を左右するというところが面白い。17世紀末のイギリスで議会に出てくるような紳士（下院議員）も貴族（上院議員）も、public school という名の私立全寮制学校や大学で、古典語を教えられているから、ギリシャやローマの話を出してきても、お互いによく通ずるのである。日本でも昔の政治家なら『論語』や『孟子』や『十八史略』に出てくる話はお互いに通じたのと同じことである。

常備軍によって体制が変えられた例は枚挙にいとまがない。シーザーもアウグストゥスも軍で政権を元老院から取り上げた。ローマを売ったのは近衛兵団（Praetorian Cohorts）だったし、イスラム圏でもトルコ皇帝オスマンを殺したのは自分の作った常備軍（Janissaries）だったではないか。フランスの Estátes Géneral（三部会）、スペインの国会（Cortes）が用をなさなくなったのも同じ理由ではないか。もちろん Cromwell の鉄騎兵（Ironsides）の記憶はまだ生々しい。こういう例を挙げていけば金のかかる、しかも国王にも議会にも危険な常備軍などはない方がよい。フランスが攻めてきたら海軍で追い返し、万一上陸しても民兵（militia）で十分だ。

しかしそういって William Ⅲと共にアイルランドや大陸で戦ってきた陸軍を、直ちに全部やめてしまえ、と主張する議員たちにも心の底には不安があった。何しろドーバー海峡の向こう側には15万の常備軍を持ったルイ14世がいる。平和条約などいつどういう口実で破られるかわかったものではない。ルイ14世は決心すれば即座に大軍を動員できる。民兵を集めている時間があるのか。またフランスの大軍に対しても民兵で十分だと言うなら、William Ⅲが2万やそこいらの常備軍を持っていても議会がこわがることはないじゃないか、という矛盾を感じている議員もいた。

この時、もっとも理性的な議論を述べたのがJohn Somers（1651–1716）であった。彼はマコーレーもランケもトレヴェリアンも極めて高く評価するWhig党の中心人物である。彼は「平和時における陸兵〔＝standing army〕の保持の必要性と、それに伴う危険性を比較商量する書」という後世まで影響のある文書を出した。Somersは陸軍無用派に真っ向から反対せずに、どっちがより危険か、つまりchoice between dangersを考えてみることを提唱したのである。世の中に完璧な法律や制度などはない。比較して「より危険の少ない方」を選ぶのがよいのではないか。国内的にだけ考えれば常備の陸軍はイギリスという島国には無用である。しかしフランスがやって来たらどうするか。海軍で守ると言うが、敵に有利な風が吹いた時、イギリスの海軍は出港できない（帆船時代の話である）。つい数年前も、オランダの海軍がやって来た時、イギリス王James Ⅱの海軍はテムズ川から出られなかった。そのおかげでWilliam Ⅲが現在イギリス王になっているのだ。またルイ14世は即時動員ができるが、民兵はそうはいかない。

さらにSomersがすぐれていたのは彼の古典学の知識

であった。彼はアルキビアデスの伝記やデモステネスの演説集の刊行もしたことのある男である。彼は指摘する。「スパルタが他のギリシャ諸都市より強かったのは、standing armyだったからで、他の都市は民兵だったのだ。スパルタが勝てなくなるのは他の都市国家もstanding armyを作り出したからである。ローマの最盛期でも、アルプスを越えてやって来たハンニバルの小軍隊に16年間も自由にイタリア半島を歩き回られた。ローマは民兵、ハンニバルはstanding armyだったからだ。」こういうSomersの議論の結果はどうなったか。

（※　2008.8）

(3)

国王に常備軍（standing army）を持たせると、議会に対して危険なものになるのではないか、という心配から常備軍廃止論が出てくるのはよくわかる。オランダからやってきたWilliam Ⅲを支持するのはWhig党の人だから、それを嫌うTory党の方から常備軍無用論が強く出たのである。大陸でルイ14世と戦った同盟軍の中心はイギリス軍であったが、その中には当然、オランダ人の兵士や将校もいた。フランスとの戦争が1697年のRyswick（リズウィック）条約で終結した以上、もう常備陸軍はいらないという意見の中には、イギリス人の反オランダ感情もあった。しかしルイ14世は絶対君主であるから、また何時戦争を再開するかもしれないという危機感を無視することができない状況だった。こうした議論が、古代や中世の戦争を例にとってなされたというところが、当時のイギリスの教育を示して面白い。その点、Somersは断然すぐれた古典知識を示して、「民兵（militia）があれば国防はそれで十分だ」という議論に勝ったのであった。

それにSomersは卓抜した弁護士でもあったので言葉遣いが巧みであった。クロムウェルの鉄騎兵以来、イギリス人はstanding armyと聞いただけで、拒否反応を起こし易い。それで彼はtemporary army（臨時軍）ということにしたのである。この軍隊のために議会が毎年人数その他を決め、議会（上下両院）が不要と考えたら廃止できるものにするとした。実際は常備軍と同じような形のものだが、臨時軍ということで、即時全面的陸軍廃止論は力を失った。

常備軍反対のTory党のRobert Harley（後のOxford伯）は、ルイ14世のオランダ侵略戦争を終結させたナイメーヘン（Nijmegen）条約成立の1679年の状況まで、陸兵を削減すべきであると主張した。つまり5,000人でよい、ということである。William Ⅲは20,000人を希望していたが、その5,000人に、タンジール（モロッコ北部）やオランダ駐留軍5,000人を加え、さらに水兵の新兵3,000人を加え13,000人ぐらいのところに落ち着いた。しかも除隊になった将校には半分の給料を払うということであったから、これは予備軍みたいなものである。将校さえおれば陸軍の再編成は簡単に出来ることは第一次欧州大戦敗北後のドイツ陸軍が証明した通りである（アメリカ占領軍が旧日本軍の将校を公職追放令の対象にしたのはそれと関係があるだろう）。この臨時軍に対する予算はHarleyは30万ポンドを主張し、Whig側のCharles Montagu（後のHalifax伯）は40万ポンドを主張し、結局35万ポンドになった。議会は妥協機関であることをよく示している。

ところでSomersは英語学や文献学でも大恩人である。nonjurorの学者をも助けた。元来、nonjurorというのはWilliam Ⅲに臣従の誓いを拒否した国教会の牧師であるから、William Ⅲをイギリス国王にすることに努力し、権利章典（the Bill of Rights）を起草したSomersから見れば反対派ということになる。しかしSomersは学問それ自体を重視した。たとえばnonjurorであったGeorge Hickes（1642-1715）を助けて比較言語学や古英語研究の礎石ともなるべき巨大なる『古代北方諸語の批判〔比較〕文法的考古学的宝庫』（1703-05）を完成させた。Hickesの水準にまで古英語研究が再び達するにはその後一世紀を要したとも言われる。そのほかThomas Madoxの古文書集、Thomas Rymerの外交文書集など、いずれも巨大な文献学上の宝庫もSomersの助けを要したもので、それを眺めるたびに、私は本に関心ある政治家の功績を想う。Somers自身9,000冊の本、数百の写本を愛蔵していた。（※　2008.9）

429～430. 世界最初の英文法書市場に現る

世界で２冊、Oxfordにしかない Bullokarの世界最初の英文法書の３冊目が見つかったという知らせがとどいた。

世界最初の英文法の本がWilliam Bullokarの*Bref Grammar for English*（1586）であることは確立した事実である。この唯一の原本がOxfordのBodleian LibraryのTanner 67にあることを発見したのはドイツの英語学者Max Plessowであった。彼はこれを学界誌*Palaestra*の第52巻としてリプリントして発表した(Berlin, 1906)。古英語叙事詩*Beowulf*を同じ図書館で発見したのがデンマークの学者であったように、昔の英語学は大陸、特にドイツでの水準が高かった。このことについて私は千葉勉先生から何度も聞かされたし、中島文雄先生の初期の論文や著作にはドイツ語の参考文献しかあがっていなかったことからも容易に知られよう。

Plessowの発見は日本の英語学界には知られていなかった。何しろ日露戦争の翌年の話で、夏目漱石がイギリス留学から帰ってから３年目のことである。当時の日本の英語・英文学の研究は、まだシェイクスピア以後の、いわゆる現代英語の詩や小説を読むことであった。日本に本格的な英語学が導入されたのはJohn Lawrence 博士が東大に招かれ、その弟子に市河三喜博士がおられた時からであると言ってよい。

Bullokarの本の存在と、その先駆的研究がOtto Funkeによってなされていることを教えて下さったのはMünster大学のKarl Schneider先生であった。Funkeの研究は昭和13年（1938）の東ドイツHalleで出された雑誌*Anglia* LXIIに出されたものである。日華事変はすでに始まっており、英語・英文学の雑誌が日本に入っていたかどうか。また入っていたとしてもそんなものを読む時代でもなかったであろう。

当然、私が論文を書く時に使用したのはPlessowの*Palaestra*版であった。しかしその後、もう１部がOxfordのChrist Churchカレッジに存在していることがわかった。誰がどうして発見したかについては〔今〕調べているところである。いずれにせよBullokarの文法は「寰宇（かんう）の孤本」というわけではなくなった。

ところがさらに〔最近〕になって、その３冊目が見つかったというニュースが入った。出所（provenanance）はMacclesfield伯爵家のthe Shirburn Castleの北図書室である。ただBullokarの文法書だけでなく、Catoの格言を韻文にしたものが31ページついている。しかもこの本は「合本」であり、他の２冊の本がついている。

その１つは*Linguae Belgicae Idea Grammatica* ……（Amsterdam, 1707）である。この文法書の中味はフランダース語文法になっている。

Bullokarと合本になっているもう１冊はJohn Hart, *An Orthographie* …（London W. Seres, 1569）である。Hartの英語音韻史上の重要性に初めて気が付いた学者はOtto Jespersenで、それは彼が1891年（明治24年）に大英博物館で古文献を見ていた時だった。JespersenはHartの研究を*John Hart's Pronunciation of English* …（Heidelberg: Carl Winter, 1907. 123pp.）として出版している。この本については大塚高信先生が35年後の昭和10年の『英語青年』で言及しておられる（宮畑一郎『イェスペルセン研究』p.179）。

Bullokarの英文法は今のところ世界に３冊しかなく、ケンブリッジ大学や大英図書館にもない。Hartの本はハーバード大学、New York Public Library、ケンブリッジ大学にあることが知られている。この天下の稀覯本２冊が１冊に合本されたものが、Macclesfield伯爵家から市場に出たのである。ここの伯爵家未亡人は国際ビブリオフィル協会の集まりで何度かお見かけしたことがあった。彼女の訃報を２、３年前に聞いた。それがシャーバーン城図書室の解体に連なったらしいのだ。

（※　2008.10）

(2)

世界で２冊、しかもOxfordにしかないBullokarの英文法書（1586）とアメリカではHarvardとNew York Public Libraryにしかないと言われるHartの英語綴字論（1569）の合本が、Macclesfield伯爵家の北図書室から出た、という知らせが私のところにとどいたのは５月２日のことであった。そのfaxを送ってくれたのはRobert Rulon-Millerというアメリカの古書店主である。彼はアメリカの古書業会の会長もやったことのある男で、私の家に来たこともある旧知の間柄である。彼は父親から古書店を受け継いだ。その頃、最初に高い本――と言っても2500ドルぐらいだったと思う――を買ってくれたお客が私だったそうである。それが一つのきっかけになり、彼は'language'と称される古書の分野に力を入れるようになった。今では、languageの分野ではアメリカの代表的な古書業者である。私の学生だった者たちも、彼の家を訪れて歓待されている。

この稀覯書２冊の合本をMacclesfield家から買い取ったのは、彼一人でなく、共同入札者がいた。それはKaren Thomson女史である。彼女はOxford郊外Fyfieldのmanor house（旧荘園主の邸宅）に移ったBlackwell's書店の古書部に勤めていた。稀覯書を扱う古書店がカタログ販売を中心としたり、予約訪問を中心とする時代になっていたのである。これは大都市や大学都市では万引きが増えてきて、稀覯書とはいかないまでも、高価な古書を通常の店舗販売はできなくなったからだと聞いている。私が最初にFyfieldを訪ねたのはもう〔20年〕以上も前である。イギリス旅行に来た家内の父親と家内にイギリスの古本屋というものを見せようと思ったのである。初夏の午後であったが、お客は予約してあったわれわれ3人だけである。その時、事務をやっていた白いセーターを着た若い（と思われた）女性がお茶など出してくれた。彼女がKaren Thomsonさんだったのである。

彼女は当時のイギリスの古書業界で、'language' の本が不当に軽視されていると思っていた。そして 'language' 分野の本は何と言ってもドイツ語を知らなければならない、というわけでドイツに留学した。ホテルの受付などでアルバイトをしたという（彼女はイギリスの大学のMA)。ロンドンで独立してからは続々と素晴らしいカタログを出し始めた。私の観察では彼女がイギリスにおける 'language' 関係の本の価格を決めているような感じになってきている。私も彼女から受けた恩恵は大きい。*Beowulf*の最初の印刷本を見つけてくれたのも彼女である。コペンハーゲンの古本屋に行ったら、「デンマークの文学」というところに*Beowulf*の稀覯版があったと言う。彼女はそれを信じられないほど安く買って（つまりセドリして)、そして私に安く売ってくれたのである。Henry Sweet Societyを紹介してくれたのも彼女である。私の学生の中にもこの協会に入って活躍している者もいる。あまり大きくなく、本当にphilologistsが集まるよい学会のようだ（私は出席したことがない）。

こんなことで彼女が結婚してスコットランドに居を移してからも、私の学生が訪ねると、自宅で食事など御馳走してくれたりした。その彼女が〔最近〕またOxfordの近くに引越してきた。Macclesfield家のShirburn Castleは遠くない。そして問題の文法書を見つけたのである。そして私の知人でもあるRulon-Miller氏と共同入札したというわけであった。高い価格になるのでBullokarとHartの合本をこわしてバラにしてもよいが合本のままなら15パーセント引きということだった。この合本の装幀はMacclesfield家の18世紀のものである。これをバラにするとは惜しいし、HartもBullokarも私は欲しかった。（※　2008.11）

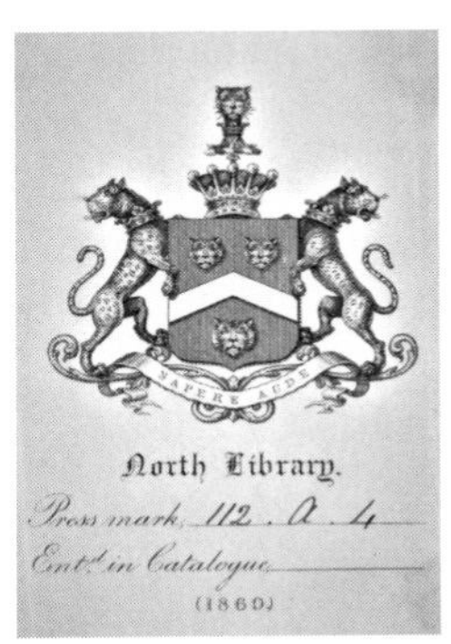

Bullokarの英文法書に貼られているMacclesfield家の蔵書票（Ex libris）

あとがき

江藤裕之（東北大学大学院教授）

オクスフォード英語辞典（*OED*）は渡部門下生には必携のレファレンスであり、図書館で引きます、などとは言えなかった。本書に出てくる英国人名辞典（*DNB*）とブリタニカ百科事典（とくに11〜13版のどれか）を加えて、私たちは渡部英語学の「三種の神器」などと言っていた。この他にも、ウエブスターの第２版（正確には *Webster's New International Dictionary,* Second Edition）やもろもろの語源辞書も手元においていた。

先生はよく「図書館に足しげく通うというのは、一見勤勉そうに見えますが、それが古写本や天下の稀覯本ならともかく、自分の研究に必要で手に入れることのできる書物や辞書を所有していないのは、学者として失格であって、いちいち図書館にいくのは時間の無駄です」と言われ、「本は借りるな、買え」という信条を弟子に叩き込まれた。そのせいか、門下生はみな本好きで、本の収集家でもある（もちろん、先生には到底及ばないが……）。

本書に出てくる Robert Rulon-Miller や Karen Thomson には仲間と一緒に訪ねて歓待していただいたことがある。エジンバラにあった Karen の自宅兼店舗で、後輩が自分の研究テーマである稀覯書（ゴート語の聖書）を見つけた。どうしても欲しいのだが、まだ定職についていない身には値段がかなり張る。その時、その後輩は日本の奥さんに国際電話をして購入の許可を求め、その場で快諾を得た。門下生は渡部先生の DNA を継いでいるだけでなく、物分かりのよい伴侶に恵まれているといった点も似ていて面白い。ちなみに、渡部先生の弟子ということで、Karen はその時の支払いを月割りにしてくれた。今から４半世紀くらい前のことである。

渡部昇一先生略歴

昭和５年（1930）10月15日　山形県鶴岡市養海塚に生まれる。

旧制鶴岡中学校五年のとき、生涯の恩師、佐藤順太先生に出会い、英語学、英文学に志して上智大学文学部英文学科に進学。

昭和28年（1953）３月（22歳）　上智大学文学部英文学科卒業

昭和30年（1955）３月　同大学大学院西洋文化研究科英米文学専攻修士課程修了（文学修士）

昭和30年（1955）10月（25歳）　Westfälische Wilhelms-Universität Münster（WWU）留学（西ドイツ・ミュンスター大学）英語学・言語学専攻。K. Schneider, P. Hartmann に師事。

昭和33年（1958）５月（27歳）　同大学よりDr. phil. magna cum laude（文学博士…大なる称賛をもって）の学位を受ける。

学位論文：*Studien zur Abhängigkeit der frühneuenglischen Grammatiken von den mittelalterlichen Lateingrammatiken*（Münster: Max Kramer 1958, xiii + 303 + ii pp.)。これは日本の英語学者の世界的偉業。日本では昭和40年（1965）に『英文法史』として研究社より出版。

昭和33年（1958）５月　University of Oxford（Jesus College）寄託研究生。E. J. Dobsonに師事。

昭和39年（1964）４月（33歳）　上智大学文学部英文学科助教授

昭和43～45年（1968～1970）　フルブライト招聘教授としてNew Jersey, North Carolina, Missouri, Michigan の各大学で比較文明論を講ず。

昭和46年（1971）４月（40歳）　上智大学文学部英文学科教授

昭和58年（1983）４月～62年（1987）３月　上智大学文学部英文学科長／同大学院文学研究科英米文学専攻主任

平成６年（1994）（63歳）Universität zu MünsterよりDr. phil. h. c.（ミュンスター大学名誉博士号）。卓越せる学問的貢献に対して授与された。欧米以外の学者では同大学創立以来最初となる。

平成７年（1995）４月　上智大学文学部英文学科特遇教授

平成11年（1999）４月　上智大学文学部英文学科特別契約教授

平成13年（2001）４月（70歳）上智大学名誉教授

平成27年（2015）５月（84歳）瑞宝中綬章を授与される。

平成29年（2017）４月17日　1:55 p.m,　御逝去（86歳）

アングロ・サクソン文明落穂集 ⑩

［渡部昇一ブックス］17

令和２年（2020）８月12日　初版第１刷 発行

著作者　渡部昇一

発行所　株式会社 広瀬書院　HIROSE-SHOIN INC.

520-0511 滋賀県大津市南比良1078—8

電話 077-575-9877

https://www.hirose-shoin.com

発売所　丸善出版株式会社

101-0051 東京都千代田区神田神保町2—17

電話 03-3512-3256

https://pub.maruzen-publishing.co.jp/

印刷所　大日本印刷株式会社

Printed in Japan

ISBN978-4-906701-17-9

「渡部昇一ブックス」発刊の趣旨

言論活動が多方面に渡るため渡部昇一先生のことを歴史家、文明評論家、あるいは政治評論家などと思っている人もいるようだ。事実、先生はこれらの分野で第一級の仕事をしておられる。しかし御専門は、と言えば、「英語学」である。

この御専門分野における業績は世界的なものであり、既に若くして偉業を成し遂げられ、八十代の今も絶えることなく研鑽を積んで居られる。これあればこそ、即ち、御専門の研究の徹底的遂行、能力および深い知識が、他の分野の活動においても自ずと深慮、卓見が湧出し、事を成し遂げていかれるのだと思う。

渡部先生は山本夏彦著『変痴気論』（中公文庫・昭和五十四年）の巻末解説において「山本の読者が増えてくることは、それだけ日本の良識の根が太くなることである」と述べて居られる。この言葉はまた、そのまま渡部先生に当てはまると言えよう。わが大阪の友、大橋陽一郎氏は「渡部先生のような方が、よう、この世の中に、日本に生まれて来てくれはったものや」と言った。同感である。

有力な出版社から立派な作品が数多く発刊されているが、さらに多くの人々に渡部昇一先生のことを知っていただき、その著作に接していただくことを願う次第である。

平成二十三年（二〇一一）十月十五日

広瀬書院　岩﨑幹雄

渡部昇一ブックス

アングロ・サクソン文明落穂集 ❶
——ニュートン、最後の魔術師
ISBN:978-4-906701-01-8　1600円+税

アングロ・サクソン文明落穂集 ❷
——カントもゲーテも、ワインを毎日
ISBN:978-4-906701-02-5　1600円+税

アングロ・サクソン文明落穂集 ❸
——金は時なり。お金で時間が買えるのだ！
ISBN:978-4-906701-05-6　1800円+税

アングロ・サクソン文明落穂集 ❹
——スターリンもヒトラーも同じ
ISBN:978-4-906701-07-0　1800円+税

アングロ・サクソン文明落穂集 ❺
——ハレーなかりせばニュートン万有引力もなし
ISBN:978-4-906701-10-0　1800円+税

アングロ・サクソン文明落穂集 ❻
日米で違う「リッチ」という言葉に対する感じ方、考え方
ISBN:978-4-906701-13-1　1800円+税

アングロ・サクソン文明落穂集 ❼
——アメリカのピープルは「人民」でなく「みなの衆」
ISBN:978-4-906701-14-8　1800円+税

アングロ・サクソン文明落穂集 ❽
——遂に出会った信長時代に出版された英文法書
ISBN:978-4-906701-15-5　3500円+税

アングロ・サクソン文明落穂集 ❾
——英語教育で有効な文法は伝統文法のみ
ISBN:978-4-906701-16-2　2000円+税

渡部昇一の着流しエッセイ ❶
——市民運動はしばしばゆすりである
ISBN:978-4-906701-03-2　1800円+税

渡部昇一の着流しエッセイ ❷
——ODA、使われる半分は人件費
ISBN:978-4-906701-04-9　1800円+税

渡部昇一の着流しエッセイ ❸
——ナチスと正反対だった日本
ISBN:978-4-906701-06-3　1800円+税

渡部昇一の着流しエッセイ ❹
——安心「長寿法」　少食にしてくよくよしない
ISBN:978-4-906701-08-7　1800円+税

渡部昇一の着流しエッセイ ❺（完結）
——卵でコレステロール値が上がる？　まさか！
ISBN:978-4-906701-12-4　1600円+税

わが書物愛的伝記（第2刷）
——書物を語り、自己を語る
ISBN:978-4-906701-00-1　1500円+税

嘘は一本足で立ち 真実は二本足で立つ
言葉は時代を超える——フランクリン格言集
ISBN:978-4-906701-11-7　1600円+税

広瀬ライブラリー

生きる力（新潮社初代社長）佐藤義亮 著
——新潮社創業者の今も、将来にも通じる処世訓話
ISBN:978-4-906701-09-4　1800円+税